カジノ誘致の諸問題

学者会議　監修

本の泉社

まえがき

「失われた20年」を経た日本経済．企業の生産性向上と新産業創出（イノベーション）が成長の条件と考え，「成長産業」探しにあけくれた挙げ句，観光産業，なかでも「最強のコンテンツ」と業界でみなされてきたカジノで経済成長を追求するに至った日本資本主義．民間が設置し，民間が経営する賭博場が史上初めて開業する．

賭博容認への立法過程では，詳細は政令に委ねられ，内容が深く審議されることもなかった．立法府の立法責任が問われるべきであろう．当初は，2019年7月のスタートが予定されていた「カジノ管理委員会」（5人の委員と95人のスタッフで構成）もようやく5人の委員は決定したものの，肝心の「カジノ管理委員会規則」はまだ公表されてはいない．カジノ事業者は貸金業を営むことができるのだが，貸金業法は適用されず，また銀行法も適用されない．法案審議の答弁からは法人税法や固定資産税などの国税・地方税への課税がうたわれてはいるものの，実施法施行規則にはその旨は，明記されていない．消費税についてはチップの扱いが定かではないとの理由から課税されるのかすら明らかではない。こうした状況のもと，本書では4つの特集論文，3つのコラムを通じて，本邦初の民設民営賭博場（カジノ）開設がもたらす社会的影響を論じ，カジノ誘致の諸問題を提起しようと思う．

巻頭の鳥畑論文は，「IR型カジノ（宿泊施設やエンターテイメント施設などをカジノへの誘客手段とするカジノ）」構想の実態を暴き，ギャンブルがビジネスとは無縁の存在であることを明らかにする．

桜田論文は，大阪府・大阪市によって着々と開業準備が進められている大阪夢洲カジノについて，IR（カジノを含む統合型リゾート）施設建設にともなう環境問題を提起するとともに，カジノ経営というミクロ的観点からカジノ事業の問題性を明らかにする．

滝口論文は，賭博経験者の罹患率が1～3%とされている依存症だけでなく，「包括的なギャンブル害低減モデルにもとづく対策」が必要と訴える．

吉田論文は，「依存症の進行とともに健全な援助希求能力を失う」に至るギャンブル依存症の実態を明らかにする．

コンサルタントや業界関係者による「カジノ論」とは，著しく趣を異にするこれらの諸論文を通じて，「なぜカジノなのか」「なぜ賭博が合法化されたのか」「ギャンブル被害の深刻さ」への理解を深めていただけることと思う．

挿入された3つのコラムでは，ギャンブル被害の現状をふまえた上で，新川は「ギャンブル被害」の可視化をめざして，被害額の算定問題を採り上げる．新川によれば，総額で4兆円を超える「社会的損失」（ギャンブルに起因する負債＝借金）が既に発生しており，医療費の「社会的損失」も2000億円を上回ると推定している．

井上は大阪府・市による「ギャンブルリーフレット」の高校生，支援学校生への配布問題を採り上げる．「ギャンブルとその弊害」を正しく伝えるべきなのだが，実態は「マッチポンプ」の役割を果たしているとする．

畑中は和歌山で進められている「海南市へのカジノ誘致」への反対運動を紹介している．「誘致を止め，投資機会を逃せば経済発展のチャンスが失われる」とカジノに固執する県知事に対決する理由が述べられる．

桜田照雄

【目次】

カジノ導入を巡る諸問題
—IR型カジノのビジネスモデルの諸問題

鳥畑与一

商業型カジノのなかでもIR型カジノは，規模の大きさゆえに巨大な経済効果を生み出すように見える．また娯楽施設等の非カジノ施設によって多様な顧客を集客することで観光効果が高いように見える．しかしそれはカジノ収益を巨大化しなければ成り立たず，人工物である娯楽施設等で集客し続けなければならないビジネスモデルであり，ギャンブル依存症と地域経済の破壊，格差拡大を深刻化していくことになる．

はじめに —広がるカジノ幻想—

昨年7月の「統合型リゾート（以後，IR）実施法」成立以降，各自治体のカジノ誘致が新たな広がりを見せているが，カジノがIR内の一施設として設置される（本稿ではIR型カジノと呼ぶ）ことで，「カジノではなくIR」とあたかもディズニーランドと変わらぬ観光施設が生まれるかのような幻想が意図的にばら撒かれている．しかも1兆円規模の巨大なIR建設によって内外からの観光客が増大することで誘致地域への経済効果が大きいことが強調され，日本経済全体ばかりか少子高齢化や過疎化に苦しむ地域経済の活性化策の切札とされている．

世界には様々なカジノの類型が存在しているが，本論ではIR型カジノに焦点を当てて，その導入を巡る諸問題，とりわけ経済的問題点を明らかにしたい．

1　IR型カジノのビジネスモデルとは

(1) ギャンブルの経済的意味

カジノはギャンブルを行う「小さな家」（イタリア語）を語源とするように，ギャンブルが営利的に提供される場を意味しているので，まずギャンブルの経済的考察から始める．

ギャンブルは，スキルの要素が含まれる種類があるとはいえ，基本的に偶然性に金品を賭ける行為である．純粋な偶然性に賭けるギャンブルの場合は，勝ち負けは完全に無規則に生じ，未来の結果と過去の結果とは何の関係性もないとされる．

この勝ち負けを通じた金品の移動は，単なる「ポケットからポケットへの移動」を意味し，経済的には何の富も生み出さないゼロサムの行為とされる[1)]．典型的には友人間等で行われるソーシャルギャンブルが該当する．

この偶然性を不確実性と混同し，経済活動のリスク管理と同一視することでギャンブルを肯定する主張があるが，実体的経済活動に基づく投機等はリスクヘッジ機能や市場調整機能を果たしうるのであり[2)]，経済活動とは関係なく偶然性を作り出すことで賭けを行うギャンブルと同一視することは出来ない．

一方でギャンブルはエンターテイメントと同じく娯楽サービスであり，一定価格で売買されることで経済的価値を生み出すという主張がなされる（いわゆるコトの消費論）．ギャンブルの支出額の増大はそれだけ満足（効用）の対価として支払われたことを意味し消費者余剰を生み出すというわけである[3)]．しかしギャンブルの場合は他のエンターテイメントと異なり，事前に価格と期待される効用の評価に基づく価格メカニズムが機能しない．勝ちを期待しているのに負けるほど消費者余剰が高まるというのは矛盾しており，合理的判断ができない依存症者のギャンブルに対して効用価値説を適用することはすべきでない．

(2) 商業ビジネスとしてのギャンブル

このギャンブルが商業行為としてカジノで営まれる時，そこには新たな特質が付加される．第1にギャンブルに必要なゲーム機器等の施設やディーラー等のスタッフへの一定の資本投下が必要になり，設備需要や個人消費，雇用等を通じた経済効果が発生する．第2に営利追求のために賭け行為においてカジノ（胴元）側に有利なハウスエッジ（控除率）

が設定される．例えばルーレットで0と00の目が胴元側の勝ちとされることで2/38の5.4%の確率で胴元側が勝つことになる．客が勝ち逃げせず賭け続けるほど「大数の法則」で最終的に客は負けてしまうように商品設計がされたギャンブルが提供されるのがカジノなのである．

この商業型カジノは，欧州型と米国型に分類される．カジノ単独かまたはホテル内併設の欧州型カジノの場合はスロット数やテーブル数が小規模であり，営業時間の制限，会員制の採用など比較的厳しい規制下で運営されている．英国で営業中の最大のカジノ（ラージカジノ）でもテーブル30台，スロット150台でしかない．これに対して米国型カジノはテーブル数やスロット数の規模が大きく24時間365日営業で未成年以外の入場制限はなく，カジノ収益を基にしたコンプと呼ばれる誘客サービスが一般的である．

とりわけラスベガスのストリップ地区で展開された大型カジノは，テーブル数百台，スロット数千台の規模であり，ホテルの他にショッピング街や高級レストラン，会議・展示場施設，エンターテイメントの提供を行うことで集客力を強化したものであり，いわゆるIRのモデルとされる．

(3) IR型カジノのビジネスモデル

もともとIRは長期滞在型のリゾート概念として展開されてきたが，シンガポールでカジノ反対世論の懐柔策としてカジノをIRの一部施設として組み込むことで「カジノではなくIRである」として新たなタイプのIRとして喧伝されてきたものである．

シンガポールではカジノ面積は1.5万m^2に制限される一方で他のホテルや会議・展示施設などの非カジノ施設への一定規模以上の投資が義務付けられることで，いわば施設面積的にはカジノが目立たないIRが誕生することになった．そしてエンターテイメントやMICE等の非カジノ施設の集客力の高さでシンガポールへの外国観光客数やその消費額が大きく増大したことで国際観光振興の強力な武器として日本でシンガポール型IRがモデル視されてきた．

シンガポールのカジノ施設（1.5万m^2）がIR施設面積比3%であったため，日本ではIR延床面積3%以下にカジノ面積が制限されたため，IRの97%は非カジノ施設でありIR＝カジノと見なすことは誤りであるとの主張が行われている．IRはカジノ以外の高級ホテル・レストラン，ショッピング・エンターテイメント施設，とりわけ国際会議展示施設であるMICEが中心であり，カジノはこの非カジノ施設を支える収益基盤に過ぎないとされる．

一方で表1に見るようにIR全体の収益中8～9割がカジノ収益で占められており収益面ではIRはカジノそのものと呼べる存在である．どちらがIRの真の姿なのであろうか．

米国ラスベガス等でカジノがIR化し，投資規模が巨大化してくると，銀行やファンド等による融資と投資が競争上不可欠になり，マフィア等

表1　メルコ・リゾートの収益構造　　　100万ドル

	2010	2014	2018
純収益	2,642	4,802	5,159
カジノ	2,551	4,654	4,464
宿泊	84	136	311
飲食	57	85	204
娯楽、小売り他	33	108	180
比率 カジノ	96.6%	96.9%	86.5%
宿泊	3.2%	2.8%	6.0%
飲食	2.1%	1.8%	4.0%
娯楽、小売り他	1.2%	2.3%	3.5%
純益	-11	527	354
EBITDA※	49	1,285	1,478

資料　米国証券取引委員会提出年次報告書（Form 20-F）

EBITDA: 企業価値評価の指標で、利払い前・税引き前・減価償却前利益のこと．簡単には営業利益に減価償却費を加えて計算する．（野村證券「用語集」参照）

表２　投下資本利益 20% の条件

	投下資本	非カジノ利益率		
		1%	3%	5%
非カジノ施設	97	1.0	2.9	4.9
カジノ施設	3	19.0	17.1	15.2
カジノ比率	3%	95.2%	85.5%	75.8%

の犯罪組織と決別した「健全な」ギャンブル産業としての発展がされて来た．カジノが高収益を実現する投資対象として資本市場に組込まれるなかでカジノ企業は競って高水準の株主還元をアピールするようになってきた．例えばラスベガスサンズは投下資本利益率 20% を最低目標として投資家にアピールするが，高水準の投資家の利益保証無くして現代の IR 投資に必要な巨額資金の調達が困難なのである．

例えば 1 兆円規模の IR を建設し，その大半を投資によって賄うとき，その投資額全体に対して 20% 前後の投下資本利益率の達成が IR の目標となる．97% の非カジノ施設の収益性が低い場合，施設面積 3% 以下のカジノ収益で投下資本利益率 20% を実現しようとすれば IR 全体の収益に占めるカジノ収益比率は表 2 のように大きくならざるを得ない．

実はカジノそのものの集客力は高くないのが現実であり，それを非カジノ施設でカバーしようと発展してきたのが IR 型カジノに他ならない．すなわち IR 型カジノとは，①カジノ目的でない客も非カジノ施設で集客しカジノに誘導することで収益化する，②カジノの儲けを非カジノ施設に還元（コンプ）し集客力を高めるとともにギャンブル漬けを促進する，③ IR 来訪客のカジノ体験率を高めリピーター化することで高収益を実現するビジネスモデルと定義される．非カジノ施設が主役で，その収益基盤を支える控えめな存在がカジノではなく，カジノの高収益を実現するための手段としての非カジノ施設の展開というのが IR の実態（表 3 参照）であり，本稿で IR 型カジノと呼ぶ所以である．

表３　IR のビジネス手法：ラスベガスの場合

	2013	2018
初めての訪問	15.0%	18.0%
ギャンブル目的	15.0%	7.0%
リピーター ギャンブル目的	**17.0%**	**9.0%**
初めて客 ギャンブル目的	**4.0%**	**1.0%**
外国からの訪問	**20.0%**	**20.0%**

	2013	2018
平均宿泊数	3.3	3.4
滞在中にギャンブル	**71.0%**	**74.0%**
ギャンブル消費額(ドル)	**529.6**	**527.1**
飲食費	279.0	315.0
ショッピング	140.9	154.6
ショー・娯楽	38.5	49.8
観光	9.3	29.8

資料：Las Vegas Convention and Visitors Authority　“Las Vegas Visitor Profile Study 2018”

2　IR 型カジノの諸問題

(1) 地域経済との相克

米国では，商業型カジノの経済効果として，①目的地効果（地域外から顧客を呼び込む効果），②代替効果（カニバリゼーションとも言うが地域の消費力を犠牲にしたカジノでの消費効果），③奪還効果（地域外の消費を呼び戻す効果），④漏出効果（地域の消費力が地域外に吸収される効果）が指摘される[4)]．

ギャンブルの投資・運営で経済効果が発生するとしても，図１に示すようにカニバリゼーションでそれが地域内の所得移転でしかない場合は地域全体の経済効果はゼロサムとなる．米国ゲーミング協会は，カジノ収益を基にした経済効果の推計値を公表しているが，ギャンブルの負け額そのものの経済効果なるものは，その裏返しとして巨大なマイナスの経済効果を米国経済に及ぼし，地域経済衰退と貧困化を促進しているのである．

しかし目的地効果や奪還効果が漏出効果を上回る場合は当該地域内のプラスの経済的効果が発生することになる．実際，マカオやシンガポールではその顧客の殆どが中国人等の近隣外国客であり，IR 型カジノの目的地効果が発揮されていると言える．

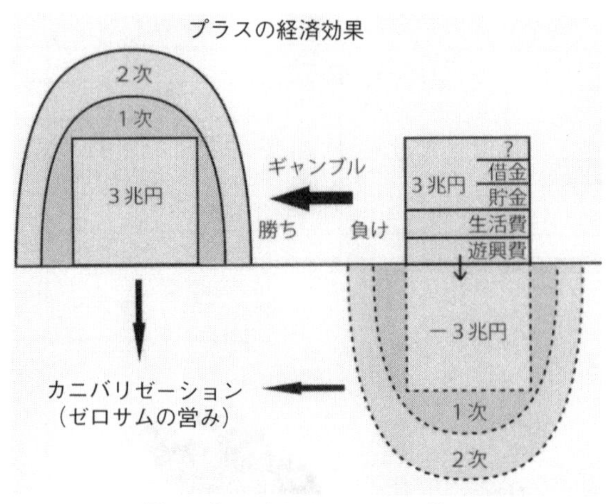

図1　カニバリゼーションの構図

問題は日本におけるIR型カジノがシンガポールやマカオと同じ目的地効果を大きく発揮できるかであるが，現時点での様々な推計では大阪等の大都市部でも外国客比率は2割程度であり，大半は国内客が占めるというのが共通認識である．実際，香港投資ファンドCLSAの推計レポートでは，日本のギャンブル市場の魅力は日本の所得水準や家計金融資産の豊富さにあるとされ[5)]，進出を狙うカジノ事業者も大都市部での立地を最優先している．

目的地効果よりも代替効果が優位となった場合，IR型カジノは地域経済の衰退と格差を強力に促進する危険性を高めることになる．世界最高水準を標榜し巨大な施設要件となった日本において投資規模が巨大化するほど収益エンジンとしてのカジノに大きな負荷がかかることになる．IR規模が巨大化するほど，それを建設し運営するためには巨額のカジノ収益の継続が必要となり，それはより多くの国民をギャンブル漬けにし，国民の所得と蓄えをカジノ収益化することで家計金融資産の収奪や生活破壊を促進していくことになる．IR側に連なる関連企業側での経済効果の裏返しとして巨大なマイナスの経済効果が発生することになるが，地域社会からの需要の吸収がコンプによる不平等な価格競争で行われることで地域の既存の経済に対する破壊が増幅した形で進むことになる．

またギャンブル依存症率がカジノ周辺ほど高まり，依存症に伴う社会的コストの発生が地域社会を中心にのしかかることになる[6)]．

(2) ギャンブル依存症対策との相克

カジノのギャンブルはハウスエッジ（控除率）が数％以下と低率であるため賭け客に有利とされているが，1日24時間休みなしで賭け回数制限なしであるため，賭け続けると負けて終わる仕組みとなっている．

カジノの場合は客と胴元が賭けあうことで胴元も負けるリスクがあり，客が大勝ちするチャンスもあるため，客は勝ち逃げする以外勝って終わることが出来ない一方で，カジノの高収益はいかに客を賭け続けさせることができるかどうかに大きく依存している．

この賭けを継続させるための手法が『デザインされたギャンブル依存症』[7)] 等で明らかにされてきたニアミス効果などの演出である．また低率のハウスエッジで偶然性に対する賭けであるため経験技量に関係なく勝つ快感を味わえる確率が高いのがカジノのギャンブルである．繰り返し快感を与え，24時間休みなく昼夜の時間感覚を与えずに，ギャンブルを継続できる環境や賭け金の貸出の提供も賭け続けさせる手法の一つである．

賭け続けさせる手法の一つがカジノ収益を基にしたコンプと呼ばれる顧客への還元システムである．一般客に対して賭け額等の消費額に一定のポイントを付与し，そのポイントを宿泊飲食費やエンターテイメント等に使えるカードによるロイヤリティプログラムがある．VIP向けではローリングチップの金額に比例した報奨金の還元制度がとりわけアジア市場で大きな役割を果たしている．

チップはノンローリングチップとローリングチップに大別されるが，VIP向けのローリングチップは一旦購入したら換金できない．かつローリングチップでしか賭けができないためVIP客は勝って得たノンローリングチップをローリングチップに転換することで賭けを継続することになる．この結果，VIP 客の延べ賭け額がローリングチップ額として把握可能になり，延べ賭け額全体にコンプ等の還元を行うことで賭け継続へのインセンティブを高めることができる．

このようにカジノのビジネス手法はいかに賭けを継続させるかに焦点を当てている．それは顧客を依存症状態に誘導する手法とも言える．カジノ業界は，賭け時間や金額を予定内に収める健全なギャンブルを推奨してはいるが，賭け時間・金額を自己管理できない依存症状態に顧客を誘導するほど高収益が実現するビジネスなのである．

カジノが巨大な IR の投資・運営費を賄うためにより高収益を求められるようになることは，依存症対策とは根本的に矛盾関係にある．その象徴が週 3 日，月（28 日）で 10 回という入場回数制限である．24 時間を 1 回と見なすため 12 時間ずつ 2 日連続での賭け行為が可能となるが，この結果週 6 日の賭け行為が可能となる．これは 1 日 13 時間営業のパチンコにほぼ毎日入りびたりと同様の状態を認めるものであり，依存症対策にはなり得ない規制である．

(3) IR 型カジノの公共性の相克

刑法 185 条等の賭博禁止が公営ギャンブルに適用されない理由は，「公設・公営・公共性」に象徴されるように公益性・公共性にあった．お台場カジノ構想以来，様々なカジノ構想が突破できなかったのも「民設・民営・民益」の性格が公益性・公共性と真逆な性質を持つとされてきたからであった．

この桎梏を突破する論理が，IR が持つとされる「新しい公益性」であり，税収や雇用増加のみならず国際観光振興や地域振興という公共政策としての性格を持つからというものであった．実際，カジノ収益の一定比率を依存症対策費や教育・社会保障費に支出することを義務付け，地域振興基金等を作って公共目的に活用する事例は海外では多い．しかしこれは IR に限定されず，通常のカジノ単独でも発揮できるものであり，なし崩し的なカジノ合法化をもたらしかねない論理である．

カジノの経済効果や慈善的側面で公益性・公共性が担保できるとは言えないのがカジノ企業の実態である．例えば，ラスベガスサンズは，その株の殆どがアデルソン一族所有の企業であり，過去6年200億ドルを超える株主還元はその純益合計を上回る規模である．またメルコは株の54%がローレンス・ホー氏所有であり，純利益を大幅に上回る株主還元を行っている．私的利益の極大化とその還元を最優先したこのような経営が，その利益のほんの一部を慈善活動等に投じていたとしても公益性・公共性を持った事業と見なすことは到底できない．

さらにカジノ収益は，不平等な勝ち率設定で顧客を依存症状態に誘導することに依存したものであり，単に顧客の負け額というにとどまらず顧客の生活破壊を通じて貧困化を促進するものである．いわば麻薬産業がいかに高収益を挙げて雇用や税収を生み出してもそれが反社会的であるのと同じであり，カジノ事業が公共的なものであるとは言えない．

おわりに ―カジノ抜きのIRの可能性―

日本経済とりわけ地域経済の置かれた状況には厳しいものがあり，IRによる地域振興への幻想が一定の根拠があるもののように見えている．法案審議でもカジノ依存のIRしか地域経済振興の道はないのかという真剣な検討が全くなされず，カジノ依存のIRしかありえないという姿勢が貫かれた．しかし現実は，IR型カジノ抜きの日本の方が外国観光客の急増が実現しており，IR型カジノ依存の国際観光振興策の立法根拠が失われている．

日本は自然・歴史・四季・食の観光資源が豊富な国とされる[8)]．観光がその国でしか味わえない体験を求めるものならば，IR型カジノは持続可能な観光資源ではありえない．世界百数十ヵ国で合法化されているカジノは言うまでもなく，人工的に作られた観光資源はどの国でも展開可能であり，結局際限のないリニューアル投資による競争を強いられる危

表４　外国観光客の増加 日本とシンガポールの比較

	2010	2018	増加率	増減
日本（万人）	861	3,119	362.3%	2,258
消費額（億円）	11,490	45,189	393.3%	33,699
シンガポール（万人）	1,164	1,850	158.9%	686
消費額（100万Sドル）	18,931	26,900	142.1%	7,969

資料：観光庁「訪日外国人消費動向調査」
シンガポール Annual Report on Tourism Statistics

険性が高い．日本にしかない地域観光資源をブランド化して発信することで地域に誘導していくことこそが4000万人を超えようとする日本の観光の課題ではないだろうか．

またカジノ抜きにはMICEの建設と運営は不可能とされるが，MICE産業自身が巨大な成長産業であり，カジノ抜きのMICE戦略が世界標準である．公的主体がMICEの建設運営を行っても，その経済的波及効果の大きさによる税収増加で十分ビジネスとして成り立っているのが現実である．例えばラスベガスのコンベンションセンターもホテル宿泊税等によるものでありカジノ収益は使われていない．シンガポールでは政府ファンドによる出資でコンベンションセンター等の建設と運営が行われている．実際，日本でも横浜港運協会がカジノ抜きのMICE中心のIR構想を公表している[9)]．カジノ頼りのMICEに選択肢を限定することで国レベルのMICE戦略が矮小化されているのが現実ではないだろうか．

注および引用文献

1) P. サムエルソン：『経済学（上）』（都留重人訳，岩波書店，1981）第21章 p.447.
2) 越田年彦：「アメリカにおける投機・賭博差異論の検討」『経済学史研究』（経済学史学会，2011）.
3) D. ウォーカー：『カジノ産業の本質』（日経BP社，2015）.
4) A.Mallach : Economic and Social Impact of Introducing Casino Gambling : A Review and Assessment of the Literature (Federal Reserve Bank of Philadelphia, 2010).
5) CLSA : It’s Raining Yen! (CLSA seminal report, 2014).

6) New Hampshire Gaming Study Commission:Final Report of Findings (State of New HampshIRe, 2010).
https://www.nh.gov/gsc/documents/20100520.pdf (2019年7月18日最終確認).
7) N.D. シュール：『デザインされたギャンブル依存症』(日暮雅通訳, 青土社, 2018).
8) 明日の日本を支える観光ビジョン構想会議：「明日の日本を支える観光ビジョン」(首相官邸HP, 2016年3月).
9) 横浜港運協会：「山下ふ頭の再開発にあたって」(2017年5月).

大阪夢洲カジノの経済・環境問題

桜田照雄

大阪湾に浮かぶ人工島夢洲．産業廃棄物と浚渫土砂，建設残土で埋め立てられた390ヘクタールもの土地である．甲子園球場が100個入る．廃棄物処分場としての規制があるのは夢洲1区だけ．カジノの建設予定地の3区や万博会場予定地の夢洲2区は，埋立材料のうち80%は浚渫土砂で占められており，夢洲カジノ建設は，環境保護法制の今日的な課題も提起している．加えて，カジノ論議のもう1つの盲点は，賭博資金の貸与とマネーロンダリングにある．

1　夢洲の環境問題

(1) 浚渫土砂・建設残土への法規制

大阪湾は河川港と言われるように，淀川と大和川に囲まれた区域に正蓮寺川，安治川，尻無川，木津川の４つの河川が流れこんでいる．また，安治川筋（安治川流域）には「西六社」（住友電工，住友金属，住友化学，日立造船，汽車製造，大阪ガス）が，木津川筋には三井造船，藤永田造船所や名村造船，佐野安造船所などが立ち並び，高度成長期の大阪経済を支えていた．経済活動の活発化にともなう河川の汚染など，環境問題がクローズアップされるなか，大阪市は1974年から2002年にかけて有機汚泥浚渫（しゅんせつ）（443万 m^3）を行い，とくに1991年から2000年にかけては，PCB含有土砂(47万 m^3), 2006年からは底質ダイオキシン類の除去を行った．これらの浚渫残土は，1987年からは，夢洲２区，３区に埋め立てられている．つまり，有効な法規制の枠外で浚渫土砂による埋立が続けられていた時期があるのである．

大阪湾での埋立による土地造成について，「瀬戸内海環境保全特別措置法（瀬戸内法）」（1973年）は，「埋立禁止」を原則としている．これと対極をなしたのが「大阪湾ベイエリア開発促進法(ベイ開発促進法)」(1970年)や「大阪湾臨海地域開発整備法(ベイ開発整備法)」(1992年)であった．

これらの「ベイエリア諸法」にもとづく湾岸開発は，ATCやWTCの経営破綻にみられるように，すでに破綻している．現時点でも埋立が進められている夢洲だが，「瀬戸内法」の趣旨に照らせば，環境保全対策には万全を期すべきことは言うまでもない．

浚渫土砂や建設残土の環境基準を定めている法律の一つに「土壌汚染対策法」(2003年) がある．この時期，工場や事業場から排出される汚染水や，汚染水の地下水への浸透を規制する「水質汚濁防止法」(1970年) などの法規制が存在したとはいえ，環境保護の観点からは，これら環境規制法体系の「時間的なズレ」が法規制の抜け道 (ループホール)」を形成している．

さらに，互いに対立しあう法律の存在がある．「瀬戸内法」と「ベイ諸法」との矛盾がある．また，「陸上残土」や「浚渫土砂」は「土壌汚染対策法」では「廃棄物」とされてはいない．これらを「廃棄物」と規定しているのは「海洋汚染及び海上災害の防止に関する法律 (海防法)」(1970年) である．言葉のうえでは同じ「廃棄物」であっても，法律によってその内容が異なっているのである．

驚くべきことに，「海防法」では，いかに汚染された浚渫土砂であったとしても，「土地の造成へと有効利用をはかる場合，浚渫土砂は造成のための『材料』であり，『海防法』第3条第6項廃棄物の定義である『人が不要とした物 (油及び有害液体物質等を除く) をいう』に該当せず」[1)] とされている．「人が不要とした物ではないから，廃棄物ではない．したがって，『海防法』にいう廃棄物処分の適用を受けない」というわけである．いかにも人を食った話ではないか．

しかも，国土交通省港湾局が「浚渫土砂の海洋投入及び有効利用に関する技術指針」を定めたのは2006年6月のことなので，「法に基づいて適正に処理している」と行政当局が述べたとしても，夢洲での浚渫土砂の埋立が開始されるのは1985年であるから，20年近くにわたって，この「指針」が適用されようがない「空白期間」が存在するのである．「法による適正手

写真１　大阪湾の人口島「夢洲」

続」の根拠は薄弱といわねばならない．

とはいえ，さきの「海防法」でも，「無計画な漁場・干潟等の造成への利用は，有効性，有用性を問われることとなり，廃棄物の定義である『人が不要とした物』に抵触する恐れがあるので，適正な利用を図ること」との指摘もある[2)]．大阪市の港湾行政はいかに行われたのか．その実態が明らかにされねばならないだろう．

このほか，夢洲の利用を規制する法律には，「土壌汚染対策法」（2003年），「公有水面埋立法」（1922年施行，1973年改正）などがある．以上のことから，夢洲の開発にあたっては，これらの法規制をきちんと守らせなければならないだろう．

(2) 夢洲は「負の遺産」か？

次に述べたいのは，この夢洲を「単なる空き地」と考えて，その「有効利用を図るべき」だとの議論を，真に受けてはならないということである．というのは，ベイエリア開発の「負の遺産」であるとか，「経済発展の起爆剤」などと言って，夢洲が「現役の廃棄物処分場」であることを無視する「湾岸開発論者」が数多くいるからだ．

当初の計画によれば，2027年までの利用が予定されていたので，2026年度末の全面開業をもくろむカジノ誘致は，貴重な廃棄物や残土類の処分機能を喪失させることになる．

さらに，東南海地震では大阪府下で「1200万トンの災害廃棄物」が発生し，「これを収容するのに必要な公共空間は380ヘクタール」と想定されていることからすれば[3)]，夢洲は貴重な公共空間なので，手つかずのまま残しておくのも合理的な選択なのである．

(3) 高層建築物の建設を想定していない

第三に，この広大な土地に5階建を超える高層建築物を建設することは設計段階では想定されてはいなかった．産業廃棄物や浚渫土砂を埋め立てるにあたって，それらを素材とした埋立地に建築物を建設する場合と，しない場合とでは，当然，どれだけの残土をどのような方法で埋め立てに用いるのかが変わってくる．周囲の護岸設計も同様だ．夢洲が，高層建築物を建設することを想定した設計になっていないことは強調してもしすぎることはないだろう．

大阪湾の地質で注目されているのは，関西国際空港や咲洲，舞洲，夢洲での「洪積層の沈下」という従来の常識を覆す事実が現れていることだ[4)]．関空と夢洲とでは埋立て土量が隔絶しているので，関空で発生したことが夢洲で発生するとは断定できないまでも，大阪メトロが計画している「200 m超の駅ビル」は建設可能なのだろうか．

(4) 汚染水対策は万全か？

第四は汚染水対策である．夢洲1区には焼却灰が，過去約27年間で約1000万トンも埋め立てられている．これにはダイオキシンやPCBなど有害化学物質が含まれている．「土壌汚染対策法」(2003年施行・2010年大幅改正）によれば，産業廃棄物処分場の環境基準は通常基準の約10倍まで規制が緩められている．雨などの影響を受け汚染水が湧出する．写真はカジノ予定地を撮影した（2019年6月）ものだが，不等沈下した窪地に雨水がたまって池ができている．地中遮水壁として鋼矢板が用いられているが，汚染水遮断対策としてこのような状況で万全なのか．さらに，大阪市は，この汚染水を浄化装置によって，大阪湾にではなく，万博会場予定地の2区に放流している．こうして出来上がった池はそのままにして，万博では池のうえに回廊をつくることが計画されている．

(5) 防災対策での懸念材料

第五は防災対策である．大阪府・市のIR推進局は，地震津波などの防災対策について，「地盤沈下を見込んだ50年後でもOP+9.1 mと想定しており，満潮時の津波予測高さOP+5.2 mに対しても3 m以上の余裕を確保」としている．ここでのOP（Osaka Peil：大阪湾最低潮位）とは，大阪湾の干潮時潮位を示し，防災計画の基準となる．地盤高の設計値はOP+4.1～7.6 mなので，9.1 mは，何を根拠とした値なのかとの疑問が生じる．また，IR推進局は「地盤沈下量は50年間で1.5 m」を想定しているが，その数値の根拠は明らかにされていない．

そもそも，津波に耐えることができるかどうかは，地盤の高さではなく，護岸の高さで考慮すべきだ．夢洲の護岸はOP+6.4 mであるが，護岸は地震によって沈下することも考慮すべきである．さらに，田結庄（神戸大学名誉教授）は，津波の速さは「夢洲付近の海（水深10 m）で秒速5.5 mと極めて速く，しかも波長が数km～数百kmもあり，これが防潮堤にぶつかるので，津波の高さは，そこで急に高くなり，防潮堤を越える可能性がある」と指摘する[5)]．

(6) 徹底した環境アセスメントは絶対の要件

以上に述べたことは，カジノ万博を進めようとしている大阪府・大阪市の幹部職員にとっては，「先刻御承知」の事案のはずである．浚渫土砂は「廃棄物ではない」との主張や，「土壌汚染対策法にしたがって処理している」という弁明が，もはや許されないのは明らかではないか．「(大阪府や大阪市の幹部職員や環境省が事態を）知らなかった」という理由で，こんな「(なんらの環境調査を行うことなく工事を進行させる)暴挙」を許していいのか．夢洲への徹底した環境アセスメントを実施すべきである．また，夢洲開発に適用される諸法律に対する大阪府・大阪市の個々の行政的判断を明らかにすべきである．

2 カジノをめぐる経済問題

(1) 交通インフラ整備

万博の成否はインフラ整備にかかっている．これは多くの識者が指摘する論点である．2025年の万博開催に先立ってカジノ開業を実現するのが，大阪府・市IR推進局の方針なので，万博への誘客インフラは，カジノへの誘客インフラを意味する．企業によるカジノへの資金提供では，「公序良俗に反する」との株主代表訴訟の懸念があるが，万博を口実とすれば，そのような懸念は解消できる．おそらくは，関西財界の本音は，そこにありそうだ．

「インフラ建設が万博の成否を左右する」という命題が意味するのは，公共事業による業者への「利益供与」に他ならない．具体的には，大阪メトロ（地下鉄中央線）の延伸計画（建設費540億円，2024年完成予定）と夢舞大橋の片側2車線から3車線への拡張工事が予定されている．さらに，IRの夢洲誘致が決定すれば，JR桜島線の延伸計画（建設費1700億円，工期9～11年）と京阪電車中之島線の延伸計画（建設費3500億円，工期10～11年）がもくろまれている．つまり，6000億円近い金銭を建設関連業者にというわけである．事業化されれば，沈下し続ける土地に橋梁やトンネルを建設することになるので，技術的困難を反映して，建設工費ははるかに膨らむだろう．

(2) 会場建設にともなう「利益供与」

「仕事が欲しければ票をよこせ」．沖縄の辺野古埋立でも明らかになったこの命題が，大阪でも成立するのは哀しいことである．

2017年3月に経済産業省がまとめた報告書[6]によると，試算された会場建設費は1250億円．内訳は，基盤整備となる土木造成と舗装工事などに130億円，電気・給排水工事などに285億円，駐車場・エントランスに171億円，パビリオン施設，サービス施設建設に503億円．会場内演出に50億円．調査設計，事務費に108億円．このほか，交通アクセス整備などの関連事業費は約730億円が想定され，内訳は，鉄道整備など（地下鉄中央線の延伸，輸送力増強）に640億円，道路改良など（此花大橋，夢舞大橋拡幅など）に40億円，南エリア埋め立て（30ヘクタール）の追加工事費に50億円などとしている．これらの資金が関連業者に「供与」される．

(3) カジノ誘致をめぐる「利益供与」

「大阪・夢洲地区特定複合観光施設設置運営事業のコンセプト募集について（2019年4月24日）」によれば，カジノに併設される諸施設の規模は，国際会議場が「最大国際会議室収容人数6000人以上及びこれと同数以上収容可能な中小会議室群」，展示等施設の「展示面積10万平米以上」，宿泊施設は「3000室以上の多様なニーズに対応できる宿泊施設」の条件を充たすよう求められている[7)]．

こうした施設からは4800億円の収益が見込まれている．そのうち，カジノからは，3800億円（外国人2200億円，日本人1600億円）を頂戴するとの算段だ．カジノ面積は3万m^2なので，1万m^2当り1200～1300億円の収益（粗利益）が見込まれているわけである．ちなみに，マカオには41ものカジノが林立しているが，カジノ事業者のアニュアル・レポートによれば，マカオでの1万m^2当りの平均収益は840億円程度であるのに対し，ラスベガスは170億円にすぎない[8)]．「カジノから3800億円の収益を目論む」との計画を，別の言葉で表現すれば，「マカオを凌ぐ世界最大規模のカジノを夢洲に建設する」ということにほかならない．

(4) 特定資金貸付業務

「カジノ実施法」は，カジノ事業者に「特定資金貸付業務」を営むことを認めている．「特定資金貸付業務」とは，カジノ事業者がカジノを利用する人たちに，「賭博の資金を貸し付ける」ことをいう．

カジノ運営業者への「預託金」に応じてカジノ事業者は貸付業務を営むが，その際，「2ヵ月間は無利息．返済が遅延したときは年率14.5%

の延滞金が課せられる」との条件がつけられている．しかも，「カジノ実施法」によれば，カジノ事業者には「貸金業法」「銀行法」が適用されることはない．貸金業法には「収入の3分の1まで」との貸金の総量規制や貸付契約の内容を消費者が正確に理解できたかどうかを判断する「適合性原則」などの消費者保護の考えが具体化されているが，こうした消費者保護は，カジノ事業者の「特定資金貸付業務」には適用されないのである．

「カジノ実施法」第85条には，「カジノ管理委員会規則で定める金額以上の金銭を当該カジノ事業者の管理する口座に預けいれている者」との定めがある．「預託金」を規定した条文であるが，「カジノ事業者の管理する口座」との文言が，「特定資金貸付業務」の問題点を考えるうえで重要である．

(5) マネーロンダリング（資金浄化）

カジノ事業者は営業拠点に必ず銀行口座を開設する．すると，銀行の国際的な決済ネットワークにこのカジノ事業者の口座がリンクすることになる．日本に営業拠点を置くカジノ事業者は，マカオやシンガポールの営業拠点だけでなく，ニューヨークやロンドンの銀行にも口座を設けている．世界中の銀行は互いに契約を結んで，互いのために決済を代行する業務（コルレス業務）を営んでいる．こうした世界の銀行ネットワークに，日本に営業拠点を置いたカジノ事業者はアクセスできるようになるわけである．

これらを背景として，カジノはマネーロンダリングの「拠点」と金融界ではみなされている．まず，マネーロンダリングとは「一般に，犯罪によって得た収益をその出所や真の所有者がわからないようにし，捜査機関による収益の発見や犯罪の検挙を逃れようとする行為」をいう[9]．世界各国の中央銀行の決済機関であるBIS（国際決済銀行）は，カジノを貴金属商，宝石商，「法人設立の仲介者として行動する業者」などとならぶ「指定非金融業者・職業専門家（Designated Non-Financial and

Profession)」に指定し，「マネーロンダリング対策及びテロ資金対策に関する国際基準（FATF 勧告）」の適用対象としているからである[10)]．日本の各金融機関は金融庁との提携のもと，今秋のFATF 第4次相互審査に臨もうとしている．

では，カジノ事業者に対してマネーロンダリング対策を金融庁や各金融機関が行えるかといえば疑問がある．すでに述べたようにカジノ事業者には「貸金業法」も「銀行法」も適用されないことを「カジノ実施法」が明らかにしているので，カジノ事業者に対するマネーロンダリング対策の法的根拠がないということになるからだ．しかも，カジノ事業を監督する「カジノ管理委員会」は「マネーロンダリング対策の専門家」ではないので，実効性のある規制が可能なのかとの疑問を拭うことはできない．

(6) カジノ事業者は信用情報を握る

「カジノ実施法」第86条は，「返済能力に関する調査等」で「指定信用情報機関が保有する信用情報を使用しなければならない」との義務規定を設けている．この「信用情報」には，契約者の住所，氏名，電話番号，生年月日，勤務先，勤務先電話番号，住宅ローンやクレジットカードの利用状況，商品割賦契約をはじめ入金状況などが記載されている．

カジノ運営業者は「特定資金貸付業務」の事業展開にあたって，これらの個人情報の入手を義務づけられていることになる．そしておそらくは，この「信用情報」にヒモづけする「情報（不動産価格情報やさまざまな個人情報)」をカジノ事業者に「売り付ける」業者が，必ず登場するに違いない．カジノ事業者の「貸付業務」には上限規制がない．年金生活者であっても高額不動産を所有しておれば，カジノ事業者は手元の情報にもとづいて自前で「貸付限度額」を決め，言葉巧みにカジノに誘客し，賭博に誘うことができてしまうのである．

このことに止まらず，「カジノ実施法」第89条では，「カジノ事業者は，特定資金貸付契約に基づく債権を他の者に譲渡するとき」との文言が登場する．言葉巧みにカジノに誘客し，賭博資金を貸し付け，勝負に負けた客のカジノへの借金を，カジノ事業者は「他の者に譲渡」（転売）するだろう．さすれば，いままで私たちが経験したことのない「消費者被害」が発生するのではないか．背筋が凍る思いがする．

（7）経済効果論—生産増加・雇用創出

表 1 は，2018 年に大阪府が公表した「統合型リゾート（IR）立地による影響調査」で示された経済効果・税収効果を整理したものである[11]．大阪府は夢洲でのカジノ開業を 2024 年と 2030 年との 2 段階（「パターン①」と「パターン②」に分けている．「パターン①」とは，「早期利用可能エリア内への立地を想定」したもので，「マリーナ･ベイ･サンズ（シンガポール）と同規模（約 16 ヘクタール）での営業」を想定している．「パターン②」は,「MGM グランド（アメリカ）と同規模（約 50 ヘクタール）での営業」が想定されている．

経済効果額の推計計算は，産業連関表にもとづいて行われる．ここでは，公共事業などによって新たに発生すると見込まれる建設費を，産業部門ごとに産業連関表の係数にしたがって集計することによって，経済効果額が推計されるわけである．「生産増加額」を平均賃金で割り込んで「雇用創出額」が得られるので，現実にその人数の雇用が創出されるわけではないことに注意が必要である．

（8）税収効果

カジノの粗利益（賭博によるカジノの取り分）には 30% の「カジノ税」

表 1　夢洲カジノ・経済効果及び税収効果

	パターン①			パターン②		
	経済効果		税収効果	経済効果		税収効果
	生産増加	雇用創出		生産増加	雇用創出	
開発 （開業前までの累計）	5,600億円	4.1万人	600億円	13,300億円	9.7万人	1,300億円
事業運営 （開業後 毎年）	3,000億円	3.2万人	600億円	6,300億円	7.0万人	1,200億円

が課せられる（カジノ実施法）．税収効果は，この「カジノ税の2分の1額」とカジノの入場料（1人1回=6000円）からなる．「カジノ税」は国と大阪府との間で折半されるから「2分の1額」となる．なお，大阪府は税収効果の内訳を明らかにしていない．

「大阪IR基本構想案」（2019年2月）によれば，大阪府が見込んでいるカジノ収益は3800億円であるから[12]，3800億円×30%×1/2で，大阪府の税収は570億円となる．大阪府のいう600億円という「税収効果額」は，おそらくは「カジノ入場料」（延べ400万人の入場者を想定すれば240億円）を想定していない数値だと思われる．その後，カジノ入場料として130億円を見込んでいることが明らかにされた．

(9) 600億円の「カジノ税収」が意味すること

カジノ事業者が大阪府に570億円を納税するには，3800億円の粗利益が必要である．マカオでのカジノビジネスを前提すれば，粗利益率は6～7%なので，カジノ事業者が3800億円の粗利益を得るには，その14倍（100/7）もの賭博が行われなければならない．その金額は5兆4000億円にも達する．ちなみに，中央競馬に投ぜられるギャンブル資金は2兆3000億円である．日本にはパチンコという「擬似ギャンブル」（「三店方式」によって風俗営業と位置づけられている[13]）があるが，1000万人が年間で190万円もの資金をこの「擬似ギャンブル」に注ぎ込んでいる．この事実がカジノ事業者をして，日本を「垂涎の地」と認識させていると思われる．つまり，パチンコ・ギャンブラーのうち3分の1をカジノに誘客すれば，330万人×190万円で6兆円を超えるマネーがカジノに流れ込むからである．5兆4000億円もの賭博を組織するのは，カジノ事業者からすれば，さほど難しいことではないのかも知れない．

(10) カジノの社会的損失（費用）

カジノの社会的損失（費用）を試算した事例の一つに，韓国射幸産業統合監視委員会「賭博問題の社会・経済的費用推計研究最終報告書」（2012年）がある[14]．この報告書の特徴は，「経済的損失額」の算定にあたって，各種の社会統計から得られたデータにとどまらず，ギャンブル依存症に悩む人たちへのアンケート調査にもとづいた試算を行っている点にある．試算結果を列挙すれば以下である．

・ギャンブル依存症罹患者によるカジノ売上への貢献額（カジノの売上高の 75% は依存症罹患者によると推測できる）4420 億円
・ギャンブル依存症罹患者による借金の支払利息 1.7 兆円
・ギャンブルで仕事に集中できず生産性が低下（平均年収 × アンケートから得られた生産性低下率）2.9 兆円
・ギャンブルで失業した(平均年収 × アンケートから得られた失業率)2.1 兆円
・犯罪被害コスト（窃盗などによる被害額 × 犯罪シェア）16 億円
・家庭内暴力関連コスト（国家が家庭内暴力から女性を守るのに必要なコスト）1900 万円
・児童虐待を解決する児童保護専門機関の運営費 2100 万円
・賭博事件の裁判費用（国選弁護士の費用 × 犯罪シェア）18 億円
・賭博事件の警察関連コスト（警察予算 × 犯罪シェア）23 億円
・賭博事件の収監コスト（刑務所予算 × 犯罪シェア）4 億円
・賭博に起因する治療に要する費用（依存症罹患者の医療費 × 依存症罹患率）180 億円
・治療センターの運営費用 13 億円
・個人のギャンブル依存症治療コスト（1 人当平均ギャンブル依存症の治療費 × ギャンブル依存症罹患者数 × ギャンブル依存症罹患者の治療参加率＝ 10%）717 億円

むすびにかえて

韓国での試算結果をみれば，なるほど「何を費用とみるか」で社会的費用や社会的損失の試算額は大きく変化する．とはいえ，年間 5 兆円を超える賭博を組織するなかで発生する依存症（罹患率は 1 ～ 3%），依存症への罹患は，金銭では贖えない「絶対的損失」である．「人の不幸の上に自らの幸福を築いてはならない」，文豪トルストイの箴言である．

住民生活の幸福を追求すべき地方自治体が，環境保全を棚にあげ，利益供与に狂奔し，あまつさえカジノ＝賭博によって経済的利益を追求するのは，明白な憲法違反行為だと言わざるを得ない．カジノに反対する運動は，「暮らしのなかに憲法を活かす」たたかいでもある．

注および引用文献（URL 最終閲覧日：2019年7月16日）

1）「海洋汚染等及び海上災害の防止に関する法律（海防法）」第3条の6．水産庁漁港漁場整備部：「浚渫土砂の海洋投入処分に係る漁場環境影響評価ガイドライン」（2006年）p.3. http://www.jfa.maff.go.jp/j/gyoko_gyozyo/g_thema/attach/pdf/sub34-2.pdf

2）前掲1）

3）大阪市環境局：「大阪市災害廃棄物処理基本計画（第1版，2017年3月）pp.31-32.

4）関西国際空港については，江村剛ほか：「関西国際空港埋立による洪積層の沈下と水圧挙動」『土木学会第65回年次学術後援会』（2010年9月）があり，咲洲，舞洲，夢洲については，三村衛（京都大学防災研究所）：「大阪港埋立地における洪積層の沈下現象」『第36回地盤工学研究発表会』（2001年）．三村衛ほか：「数値解析による大阪湾埋立地の長期沈下挙動の評価」『第39回地盤工学研究発表会（新潟）』（2004年7月）などがある．

5）田結庄良昭：『これでもやるの大阪カジノ万博』（カジノ問題を考える大阪ネットワーク編，2017年）p.67.

6）経済産業省：「2025年国際博覧会検討会報告書」（2017年4月7日）pp.35-36.

7）大阪市：「（仮称）大阪・夢洲地区特定複合観光施設設置運営事業」の事業コンセプトを募集します（報道発表資料，2019年6月5日）．
https://www.city.osaka.lg.jp/hodoshiryo/irsuishin/0000468104.html

8）Las Vegas Sands 社の Annual Report, 2017（アメリカ証券取引法の規制を受けず自主的に開示される年次報告書）によれば，同社がマカオで営業するカジノ（ベネチアン・マカオ）のカジノ営業面積は374000平方フィート（34750 m2）であり（p.4），カジノ事業収益は25億7700万ドルであった（p.47）．1万m2当たりの収益額を計算すれば7億4265万ドル余りとなり，2017年度（2017年12月）中に適用される日本銀行「基準外国為替相場及び裁定外国為替相場」に示された1ドル＝113円との換算基準にしたがって換算すれば，7億4265万ドルは839億1945万円となる．ラスベガスでの同社のカジノ事業は225000平方フィート（20900 m2）で（同上p.83）で4億3900万ドルのカジノ収益（同上p.55）を稼得しているので，1万m2当たりのカジノ収益は1億5122億ドル，同様の換算基準を用いれば170億8800万円となる．

9）預金保険機構：「預金保険研究（第17号）」（2015年3月）p.3.

10）FATF：The 40 Recommendations（October 2004）.

https://www.fatf-gafi.org/publications/fatfrecommendations/documents/the40recommendationspublishedoctober2004.html

11) 大阪府：「統合型リゾート（IR）立地による影響調査　調査報告書　概要版」（平成28年度）p.1.

12) 大阪府・大阪市：「大阪IR基本構想（案）」（2019年2月）p.18（本誌p.18に概要版を掲載）.

13) 三店方式とは，客がパチンコの出玉をパチンコホールにおいて特殊景品と呼ばれる景品に交換し，パチンコホールに隣接する景品交換所（古物商）で客がその特殊景品を売却することによって間接的に出玉を現金化する方式である．景品問屋が景品を景品交換所から買い取り，再度パチンコホールに卸すことから，パチンコホール・景品交換所・景品問屋の三者による三店方式と呼ばれる．消費者のほとんどが出玉の換金をすると言われている．なお，警察庁は2003年6月に「現在行われている換金行為のうち，営業者の関係のない第三者が客から景品を買い取ることは，直ちに違法になるものではない」と回答している（尾田基：「同等な規制の主張：カジノ合法化の議論を事例に」『東北学院大学経営学論集』第10号，2018年1月，p.5，p.14）.

14) 사행산업통합감독，도박문제의 사회・경제적비용추계 연구，2012.12.
http://www.ngcc.go.kr/data/pdsView.do
なお，韓国の依存症対策事情については，藤原夏人：「韓国の依存症対策」『外国の立法269（2016年9月）』（国立国会図書館調査及び立法考査局）が詳しい.

資料：大阪府・大阪市「大阪 IR 基本構想」（2019 年 2 月）

大阪ＩＲ基本構想

大阪の現状と取組みの方向性

大阪のさらなる成長のために

◆現状・課題

○人口減少・高齢化社会が進むなか、需要・労働力の減少による経済縮小への懸念 ＞ 今後市場拡大など将来性が見込まれる成長産業への注力

◆取組みの方向性

○今後も世界の観光需要が拡大するなか、インバウンドを確実に経済成長に取り込むため、滞在型観光の推進や世界水準のＭＩＣＥ施設の整備が必要 ＞ 大きなニーズと将来性があり、経済効果の大きい観光 分野を基幹産業へ

大阪・関西のポテンシャルを最大限活用

歴史的・文化的特性	大阪や関西の豊富な観光資源が集積
経済的特性	大阪、関西の大きな人口・経済規模、幅広い分野の産業クラスターの集積
地理的・立地的特性	関西の中心に立地、充実した交通インフラを活用したハブ機能

＞ **大阪にＩＲを核とした国際観光拠点を形成**

民間の知恵と工夫を最大限に活かす民設民営のプロジェクトとしての「ＩＲ」

※ポテンシャルの高い夢洲へのＩＲ立地を出発点として、 ベイエリアを活性化

大阪ＩＲのめざす姿

基本コンセプト

大阪・関西の持続的な経済成長のエンジンとなる**世界最高水準の成長型ＩＲ**

◆ 世界中から人・モノ・投資を呼び込み、経済成長のエンジンとするため、 ビジネス客、ファミリー層など世界の幅広い層をターゲットとする「世界最高水準」のＩＲ

◆ 50年・100年先を見据え、初期投資だけでなく、常に時代の最先端となる施設・機能とサービスで変化を遂げる「成長型」のＩＲ

◆成長の方向性

- 時間軸に沿った成長・発展：夢と未来を創造するＩＲ
- 空間軸に沿った成長・波及：ひろがり・つながりを生み出すＩＲ
- ポテンシャルを活かした価値創出：「夢洲」を活かすＩＲ

大阪ＩＲの想定事業モデル

（数値は概算）

◆敷地面積：約60ha

◆投資規模：9,300億円

◆施設規模：総延床面積　100万㎡

◆年間来場者数：1,500万人/年

（延利用者数：2,480万人/年 うちノンゲーミング施設：1,890万人/年　ゲーミング施設：590万人/）

◆年間売上：4,800億円/年（うちノンゲーミング：1,000億円/年　ゲーミング(GGR)：3,800億円/年）

＜ 大阪・関西の持続的な成長に向けて ＞

・ 行政・地域・IR事業者による協議体の設置

・ 施設・サービスの魅力向上に向けた継続的な投資による好循環の実現

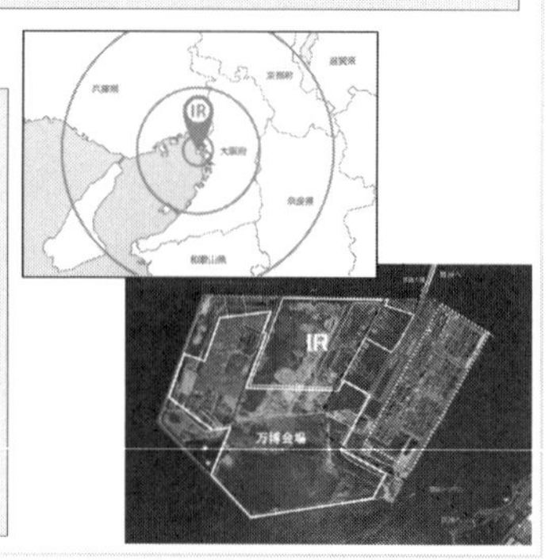

（案）【概要版】

2019年2月
大阪府・大阪市

大阪ＩＲのめざす姿

大阪ＩＲが有すべき機能・施設

①世界水準のオールインワンＭＩＣＥ拠点の形成＜国際会議場施設及び展示等施設＞

◆世界水準の競争力を備えたオールインワンＭＩＣＥ拠点
・ＭＩＣＥ誘致に必要な宿泊施設、エンターテイメント・商業施設等を一体的に整備

◆日本最大の複合ＭＩＣＥ施設の整備
【規模】　国際最大会議室収会議場：容人数６千人以上、１万２千人規模の会議に対応
展示施設：10万㎡以上の展示面積

◆オール大阪でのＭＩＣＥ推進・誘致体制の強化

②魅力の創造・発信拠点の形成　＜魅力増進施設＞

◆大阪・関西・日本が誇る魅力を効果的な手法で発信
・伝統、文化、芸術等のコンテンツに気軽に触れられる施設を整備し、コンテンツに適した手法で発信

◆大阪ＩＲ発、大阪・関西・日本のコンテンツの発展・創造

③日本観光のゲートウェイの形成　＜送客施設＞

◆大阪・関西・西日本をはじめ、日本各地との連携による観光客の送り出し

◆大阪・関西の強みを活かした、大阪ＩＲ発のニューツーリズムの創出
・「多様で心身ともに健康な生き方」を提案するウェルネスツーリズムをはじめ、スポーツ、フードなどのニューツーリズムを創出

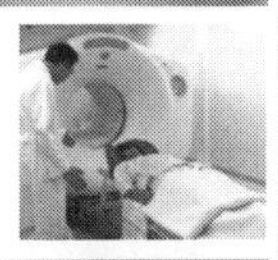

④利用者需要の高度化・多様化に対応した宿泊施設の整備　＜宿泊施設＞

◆世界水準の規模と質を有する宿泊施設の整備　【規模】　客室数：３千室以上

◆ビジネス客やファミリー層、富裕層など多様な宿泊ニーズに対応できる施設・サービスの提供

⑤オンリーワンのエンターテイメント拠点、リゾート空間の創出　＜来訪及び滞在寄与施設＞

◆夢洲でしか体験できないエンターテイメントの提供
・あらゆる人が楽しめ、大阪ＩＲの象徴となるような世界に類を見ないエンターテイメントを提供

◆世界中の人が訪れたくなる非日常を感じられる都市型のリゾート空間、長期滞在を楽しめる上質な施設・サービスの提供

◆大阪の新たなランドマークとなるインパクトのある空間の形成
・斬新なデザインの建築物や海に囲まれた広大な土地を活かしたゆとりある空間

大阪ＩＲの魅力を高める取組み

◆最先端技術の活用により、快適で利便性の高い空間、質の高いサービスを提供するスマートなまちづくりを実現
・「未来社会の実験場」として最先端技術の実践・実証、体験の場を創出

◆次世代を担うグローバルな人材の育成

安心して滞在できるまちの実現

・夢洲における消防署の設置をはじめ、ＩＲ事業者や関係機関と連携しながらソフト対策やハード対策に取り組み、来訪者が安心して滞在できるまちを実現

信頼に値するギャンブルコスト（カジノの経済損失）を評価する研究を求む

新川眞一

はじめに

ギャンブル被害について諸外国では政府の責任において，年月，人材，公費を費やして，系統的に全国的規模で調査研究がされている．

我が国にあっては，こうした調査すらまともに存在しない．昨年カジノ実施法との抱き合わせでギャンブル依存症対策基本法が成立し，その施策の一つに「実態調査」が謳われてはいる．しかしながら，2019年度の厚労省の予算には依存症対策費は概算要求額も実施額も前年度以上の増額は全く無く（厚労省HP「平成31年度予算概算要求の主要事項」），他の省庁もこの類の予算は組まれていない．

これが日本のギャンブル依存症対策における実態調査の「実態」である．

1　ギャンブルの経済損失を研究する人はいないのか

ならば，日本において，国がするのではなく，民間から，学術研究者の中から，こうした実態の調査研究をしようとする方は一人もおられないのかと私は幾人かの大学教授に尋ねた．しかし，やはり調査研究にはそれなりに費用が掛かるうえ政府や企業からの補助金でこのような研究をしても信頼できない．他方で刻一刻と我が国へのカジノ誘致の国策が進められようとしていることに私は苛立ちを重ねてきた．

2　ギャンブラーによって生み出される不良債権の額は？

仕方が無いので素人なりに考えてみた．2011，2012年当時でも我が国では毎年10万人を超える自然人の自己破産者が生まれている．2018年でのそれは約7万人である（司法統計）．その背後には100倍の多重債務者がいるといわれる．このうち，何らかの形でギャンブルが原因として多重債務状態にある者は，正確な統計はないものの，約1割から2割存在すると推計される．日弁連消費者問題対策委員会が実施した「2014年破産事件及び個人再生事件記録調査」によれば，破産に至った理由の約4%が，ギャンブルが原因と記されている．しかし，この数値はバイアスが働いていると思われる．裁判所に免責不許可事由となる浪費であるギャンブルを法律家は正直にすべて記しはしないであろうし，破産者本人も同様である．宮崎県弁護士会が実施したアンケート調査で，「過去10年間において，当事者がギャンブル依存症に罹患していると疑われる人の事件を取り扱ったことがあるか？」という問いに対し，①はい（110件）45.5%，②いいえ（132件）54.5%という驚異的な集計結果が得られた（九弁連大会シンポジウム「ギャンブル依存症のない社会をめざして」報告，2016年9月23日）．このほか私自身も同職の幾人かに破産者のうち少しでもギャンブルが影響していると考えられる割合はどの程度と思うかと尋ねたところ，おしなべて全体の1割以上はほぼ確実に存在するとの返答がされる．

してみれば債務処理事件に全体の約15%程度はギャンブルが原因している事案で占められているというのが実務を通じての我々の感覚だ．すると破産者1人当りの債務総額を400万円（ギャンブルが原因の場合は，貸金業法の総量規制に拘わらず負債総額は一般的に多くなる）と見積もっても，4兆2000億円（400万円×7万人×0.15×100倍）の不良債権すなわち国家的損失がはじき出されることになるのである．

3　ギャンブル被害のための医療費コストは？

2017年厚労省統計によると，我が国には320万人を越えるギャンブル依存症患者がいる（2008年の調査では536万人）．ところでギャンブラーに依存から回復への道筋を促すための治療費は最低限のコストにすぎない．医療機関に支払われるべき治療費以外に，カウンセリングや，セラピーの費用なども患者数に掛け合わせるともっと大きな額になるであろうが，治療費コストだけでもいかほどかを私なりに描いてみた．

断わっておかなければならないが，病的ギャンブラーの医学的治療法は未だ確立されていないので，その費用の算出にあたっては他の医学的治療に要する費用を類例するしかない．私は，禁煙外来の場合を例に挙げる．

禁煙外来は健康保険自己負担額を3割として，通常8～12週間の期間が治療期間とされ，処方される薬剤にもよるが治療期間全体を通して大体2万円程度の自己負担である．すると12週間のクールで費やされる医療費の総額は約6.7万円となるので，病的ギャンブラー320万人がこの12週間の治療を1回でも受診した場合，2144億円（6.7万円×320万人）もの医療費等が損失として計上されることになる．本来ならば，医療費コストは，直接患者数に掛け合わせた治療費の額のみにとどまらない．我が国には，ギャンブル依存症を専門にする医療機関が極めて少なく，これらの設備費用，教育費用もかかる．

さらに医療費は，社会通念上，家計支出に占める割合の1～2割程度である．むしろギャンブル支出が増加するという直接の市民生活への悪影響こそが根本問題でこの点の数値的エビデンスが極めて重要である．

おわりに

我が国に未だカジノが存在しないにも関わらず，パチンコや公営ギャンブル等のカジノより射幸性の低い賭博産業による社会的悪影響の数値が，既にこれほど深刻なのである．

メルボルンで最大のIRカジノをかかえるオーストラリアビクトリア州政府でさえその責任でギャンブル被害実態調査を行い，社会的コスト（損失）はカジノの収益の4～5倍であるとした．

一法律実務家が素人なりにギャンブルコストについてコメントをさせていただいたが，我が国の学術研究の一つにギャンブル産業界からの影響を受けないでギャンブルコストを探求される方の輩出を心から願うばかりである．

目標はギャンブル害ゼロ社会
—依存症モデルからギャンブル害低減モデルへの転換を

滝口直子

過度のギャンブルの結末として起こりうるのは多重債務や離婚，自殺などの不幸の数々である．ギャンブルが社会にもたらす害を把握し，その低減をはかるには従来の依存症モデルでは不十分であり，包括的なギャンブル害低減モデルに基づく対策が求められる．．

はじめに

「大企業が利益を上げるとその恩恵を庶民も受けられる」と政治家は言う．グローバルなカジノ産業は間違いなく大企業である．しかしこの恩恵は「上から下」ではなく，逆方向に向かうのではないだろうか．庶民のお金は，某有名ブランドの掃除機を使ったかのごとくに上に吸い上げられるように見える[1)]．

ギャンブルで借金を繰り返し，「二度とギャンブルに手は出さない」と土下座し，家族・親戚に肩代わりしてもらっても，またギャンブルで借金，離婚，失職，DV や高齢者（子ども）虐待，犯罪，最後は自殺（未遂）．ギャンブルへのコントロール喪失は，つい最近まで「意志が弱い」「遊び好き」「親失格」などと道徳の欠如とされ，問題解決の責務は家族（本人は解決できそうもないので）に押し付けられてきた．

カジノ解禁の法案通過とともにギャンブル依存症対策が唱えられ，家族やギャンブラー本人の支援先も広がりつつある．しかしその支援や対策の焦点がギャンブル依存症の人の治療や有病率の低下であるならば，それはイギリスの「ギャンブル害抑制の国家戦略への勧告」[2)] が指摘するように，ギャンブルが引き起こす害に関わる多くの社会・経済上の構造的要因を見逃すことになる．

ここではその要因のいくつかを取り上げ，私たちが目指すべきはギャンブル害ゼロ社会であり，実効性ある対策を実施するには，ギャンブル産業と行政や研究機関との協調的関係の再考が必要であることを主張したい．

1　依存症にまとわりつくスティグマや恥

認定された病気とはいえ，依存症には恥やスティグマ（烙印）がつきまとう．職場の使い込みで逮捕され，メディアで実名が晒されると，「ここにはもう住めない」と引っ越す家族さえいる．裁判で「ギャンブル障害」という病名を言ったところでメリットがあるわけではない．「一生治らない怖い病気になった」と嘆く家族もいる．世界的にギャンブラーは回復の場に登場しない．せいぜい 10% とされている[3]．例えば，カリフォルニアでは無料の治療制度を整えたものの，ギャンブラーや家族が殺到しているわけではない[4]．

2　症状よりも結果：弱者はちょっとのギャンブルで生活破綻

例えば年収 2000 万円の人が空いた時間にストレス解消にパチンコに行って，月 3 万円使ったとする．同じ金額を生活保護受給者が使ったとする．前者のギャンブルは問題にはならないが，後者のギャンブルは「税金の無駄遣い」と責められ，対人関係は悪化し生活も破綻する．経済的な弱者は，ギャンブルをすればすぐにも生活に支障をきたすことになり，依存症の診断基準を満たすかどうかはともかく，問題あるギャンブラーと見なされるようになる．「この人たちは依存症ではない」と診断を下すとしても，困りきった「この人たち，その家族」はどこに支援を求めればよいのだろうか．Browne ら（2018）が指摘するように、依存症の症状の有無よりも，ギャンブルの負の結果，すなわち「ギャンブル害」を測定した方が，ギャンブルが引き起こす問題の実態に迫ることができよう[5]．

オーストラリアやイギリスの研究では社会・経済的な弱者がギャンブル問題を生じさせやすいこと，あるいはそのような人たちが住む地域ではギャンブルの機会が多く提供される傾向にあることが指摘されている[6,7]．ギャンブルをすることで脆弱性を持つ人たちはより脆弱になっていくと言える．

3　ギャンブルをしない人が被るギャンブルの負の影響

「問題に至るギャンブラーはごく少数，大抵のギャンブラーは楽しんでいる」とよく言われる．ところがビクトリア州（オーストラリア）の報告書では問題ギャンブルの社会的コストは24億ドル，そこまでは至らないものの中程度のリスク，低いリスクがそれぞれ19億ドル，24億ドルである[8]．問題ギャンブラーよりもそこまでには至らない予備軍の社会的コストの方がずっと大きいのである．さらに，1人の問題ギャンブラーは6人に，中程度のリスクは3人に，低いリスクは1人に影響を与えるとされる[9]．つまりはギャンブルをしない多くの人，赤ちゃんまでもが借金や離婚，虐待などのギャンブル害に晒されることになる．

4　どこにでもあるギャンブルの機会・ギャンブル製品の依存を引き起こす特徴

ギャンブルにハマるのは「その人に問題あり」と考えると，ギャンブル環境や依存を引き起こす製品の特徴を見過ごすことになる．アクセスのしやすさ（例えば，汎在するギャンブルマシン），ギャンブルマシンに組み込まれたニアミスや勝ちと間違う負け（20以上の勝ちラインのいくつかで勝ちが生じ，マシンが音や光で祝ってくれるが，賭けた金額よりも勝ちの総額が低い）は，プレイヤーに「もうちょっとで大勝ちだったのに」「今度こそ勝ちが来る」「連勝」と勘違いさせプレイを長引かせることになる．マシンの速度もゲーム1回につき1秒にも3秒にもできる．1度に賭ける金額も高額にできる，さらに他のマシンとリンクさせ1つのマシンに大当たりを集中させることもできる[10]．サイコロやカードに細工をすればイカサマである．マシンに「細工」しても法がよしとすれば合法である．もちろん法は市民の力で変えられるのだが．

おわりに：ギャンブル害ゼロへ政策転換を

問題を抱えるギャンブラーは，ギャンブルの真っ最中でさえ合理的な判断を下した結果自分の選択でギャンブルをしていると，ある裁判でギャンブル問題の著名な専門家は証言をした[11)]．合理的な判断の結果，ギャンブルをするとしたら，過度なギャンブルの結末は自己責任ということになる．では，なぜギャンブルをやめたいと思っているのに「気づいたらギャンブル台の前にいる」のだろうか？そもそも依存症は，本人が止めたくても止められないというコントロール喪失の疾患であるはずだ．ギャンブル産業は大きな力でもって税収に悩む行政や助成金が欲しい研究機関に影響を与えることができる．産業は何を研究のテーマにするのか，決定する力を持っている．つまりは利益の大幅減につながるような研究はされないということだ[12,13,14)]．さらにはギャンブル行動のデータを所持するのは産業であり，産業との関係性を持たない研究者はデータにアクセスすることが困難である．

ギャンブルが引き起こす害を最小化する実効性ある対策の実施には，研究機関や政策の立案実施機関が産業から独立すること，それは必須である．ギャンブル害に苦しむ個人や家族を本気で減らしたいのであれば，ギャンブル産業と行政および研究機関との関係性を見直す必要がある．

参考文献

1) Livingstone, C., Adams, P. Cassidy, R., Markham, F., Reith,G., Rintoul, A., Schüll, N.D., Woolley, R. & Young, M.:On gambling research, social science and the consequences of commercial gambling. Int. Gambling Studies, 18(1), 56-68 (2018).
2) RGSB : The Responsible Gambling Strategy Board's advice on the National Strategy to Reduce Gambling Harms 2019-2022 (2019).
3) Gainsbury, S. & Blaszczynski, A.: Online Self-guided Interventions for the Treatment of Problem Gambling. Inter. Gambling Studies, 11 (3) , 289-308 (2011).
4) UCLA Gambling Studies Program: Annual Treatment Services Report (Fiscal Year 2017-2018).

5) Browne, M., Goodwin, B. & Rockloff, M.: Validation of the short gambling harm screen (SGHS) : J. Gambling Studies, 34 (2) , 499-512 (2018).
6) Livingstone, C.:「ギャンブル害の予防―オーストラリアから北海道の皆さんへの提言」『地域社会を侵襲するカジノ・ギャンブル』カジノとギャンブル問題を考える市民講演会 . (編) 黒川新二・篠原昌彦 (2019).
7) Rogers, R., Wardle, H., Sharp, C., Dymond, S., Davies, T., Hughes, K. & Astbury, G.: Framing a public health approach to gambling harms in Wales. Bangor University (2019).
8) Browne, M., Greer, N., Armstrong, T., Doran, C., Kinchin,I., Langham, E. & Rockloff, M.: The social cost of gambling to Victoria. Victorian Responsible Gambling Foundation. (2017).
9) Goodwin, B., Browne, M., Rockloff, M., Rose, J.: A typical problem gambler affects six others. Int. Gambling Studies, 17 (2) , 276-289 (2017).
10) Livingstone, C.: How electronic gambling machines work. AGRC Discussion Paper 8 (2017).
11) Federal Court of Australia: Guy v Crown Melbourne Limited (No 2) 2018 FCA 36, File number: VID 1274 of 2014. (裁判資料).
12) Hancock, L. & Smith, G.: Critiquing the Reno Model I-IV : International influence on regulators and governments (2004-2015). Int. J Ment. Health and Addiction, 15 (6) , 1151-1176 (2017).
13) Orford, J.: The Gambling establishment and the exercise of power: a commentary on Hancock and Smith. Int. J Ment. Health and Addiction, 15(6), 1193-1196 (2017).
14) シュール，ナターシャ D. :『デザインされたギャンブル依存症』(日暮雅通訳，青土社，2018).

ギャンブル依存症
―それはどのような疾患で，どう回復すればよいのか？

吉田精次

ギャンブル依存症はその進行程度によって様々な病態を呈する疾患であるが，その有害性は特に金銭面に大きく現れる．意志や理性の力が及ばない段階に陥った時，そこからどう回復するかは精神医療が直面している極めて重要で喫緊の課題である．そのためにはギャンブル依存症の症状，進行過程をより深く理解することが不可欠である．本稿で筆者は依存行動の3層構造仮説を提案した．

はじめに

現在，わが国では「ギャンブル依存症」という診断名が一般化しているが，国際的にはICD-10（WHO世界保健機構による疾病および関連保健問題の国際統計分類第10版）では「病的賭博 Pathological gambling 」，DSM-5（アメリカ精神医学会による精神障害の診断と統計マニュアル第5版）では「ギャンブル障害 Gambling Disorder 」とされている．本稿ではギャンブル依存症という呼称を統一して用いるが，病的賭博，ギャンブル障害と同義である．

ギャンブルとは「金品を賭けて勝負を行い，その勝負の結果によって負けた方は財物を失い，勝った方は財物を得るという仕組みのゲームの総称」「さらに大きな価値のあるものを得たいという希望のもと，価値のあるものを危険にさらすこと（DSM-5)」であると定義される．ギャンブルの歴史は古く，ローマ帝国の皇帝ネロはサイコロ賭博に大金を賭け続けたとされ，古代インドの叙事詩マハーバーラタにはサイコロ賭博で財産や領土を失い，最後には自分自身と妻を賭ける王子が登場する．わが国では日本書紀に，馬や牛を賭けて行われていた盤双六と呼ばれるギャンブルの記録が残っている．西暦689年に持統天皇が発令した双六禁止令に始まり，時の政権はギャンブルを禁止してきた．それはギャンブルによって多くの金銭トラブルが起きていたことを示している．長年，問題を起こすのはその人の意志薄弱，不道徳，反社会性などが原因であるとみなされてきたが，1977年にWHOによって依存症の一つに分類されて以降，精神疾患として認識する動きが広まり，ギャンブルそのものに依存性があり，依存症を引き起こすことが明らかになった．

筆者は2007年に初めてギャンブル依存症の患者を経験し，2014年以降は年間平均50件の新規相談があり，これまでに約450件の治療経験がある．2010年には徳島に初めてギャンブル依存症の自助グループであるGA（ギャンブラーズ・アノニマス）が誕生し，家族会も活動が始まった．当院では2011年から依存症家族勉強会を毎月開催し，ギャンブル問題に苦しむ家族に対するサポートを開始し，2012年からは毎年「ギャンブル問題を考える市民公開講座」を開催している．ギャンブル依存症について概観し，治療と回復について筆者の臨床経験を踏まえ，考えを述べる．

1　ギャンブル依存症

(1) 疾病概念と診断

2013年にアメリカ精神医学会が発表したDSM-5で，これまで衝動制御障害に分類されていた病的賭博は「物質関連障害および嗜癖性障害群」の中に，物質依存と同様に分類された．依存性薬物は過剰に摂取されると，脳の報酬系（脳の中で報酬の受容や期待に関係する領域）を直接的に活性化させ，行動の強化と記憶の生成を生み，正常な活動が無視されるほど強烈に報酬系を変化させるが，ギャンブル行動も同様の脳の変化をきたすということが明らかになった．依存症の共通要素として反復性，強迫性，衝動性，貪欲性，自我親和性（その行動を好きでやっていること），有害性の6因子が知られているが，物質依存同様，行動の依存もこれらの因子を持ち，物質依存共通の脳内の変化が起きていると認識されるようになった．

DSM-5の診断基準は次のとおりである．

A. 臨床的に意味のある機能障害または苦痛を引き起こすに至る持続的かつ反復性の問題賭博行動で，その人が過去 12 ヵ月間に以下のうち 4 つ（またはそれ以上）を示している．①興奮を得たいがために，掛け金の額を増やしてギャンブルをする要求．②ギャンブルをするのを中断したり，または中止したりすると落ち着かなくなる，またはいらだつ．③ギャンブルをするのを制限する，減らす，または中止するなどの努力を繰り返し成功しなかったことがある．④しばしばギャンブルに心を奪われている（例：過去のギャンブル体験を再体験すること，ハンディをつけること，または次の賭けの計画を立てること，ギャンブルをするための金銭を得る方法を考えること，を絶えず考えている）．⑤苦痛の気分（例：無気力，罪悪感，不安，抑うつ）のときに，ギャンブルすることが多い．⑥ギャンブルで金をすった後，別の日にそれを取り戻しに帰ってくることが多い（失った金を“深追いする”）．⑦ギャンブルへののめり込みを隠すために，嘘をつく．⑧ギャンブルのために，重要な人間関係，仕事，教育，または職業上の機会を危険にさらし，または失ったことがある．⑨ギャンブルによって引き起こされた絶望的な経済状況を免れるために，他人に金を出してくれるように頼む．

B. その賭博行動は，躁病エピソード（双極性感情障害の躁状態のこと）ではうまく説明されない．

以上の A と B を満たすと，ギャンブル依存症と診断される．筆者の治療経験から言うと，ほぼ全例が借金を抱えての受診であった．それも，借金返済が自分の力では困難になった状態での受診が大半で，上の診断基準で診断すれば 9 項目すべて該当する重度と診断されるケースである．わが国のギャンブル依存症の治療現場共通の現象であろう．

(2) 有病率，回復率，自殺率

DSM-5 によると一般人口におけるギャンブル依存症の生涯有病率は約 0.4 ～ 1.0% である．2017 年 7 月に厚生労働省が発表したわが国の生涯有病率は 3.6% であった．図 1 に国際比較の図を示した．回復率は（生涯

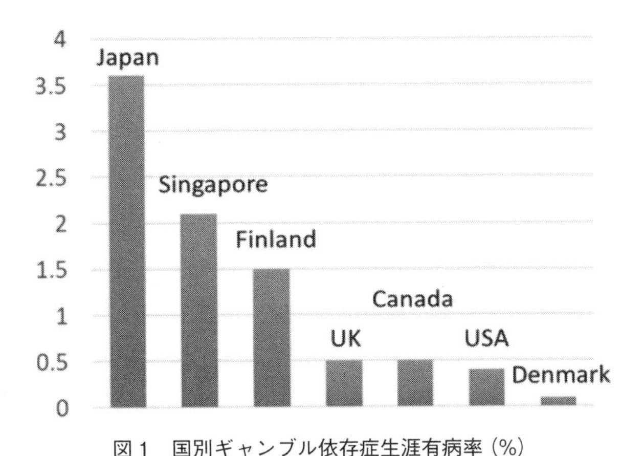

図１　国別ギャンブル依存症生涯有病率（%）
出典：J.Wiebe & R.A. Volberg：Problem Gambling Prevalence Research：A Critical Overview, 2007.

有病率－過去１年有病率）÷生涯有病率×100で算出される．２つの有病率のデータがそろっているのは７ヵ国に過ぎないが，回復率はフィンランド（2007）の38%からオランダ（2006）の70%まで幅広く，平均が57%，中央値が56%であった．2007年久里浜医療センターの調査では77%と算定できる．この２つのデータをどう読むかについては議論が分かれる．最も楽観的なものとしては「確かにわが国のギャンブル依存症の有病率は高いが，回復率も高いので，深刻に考える必要はない」というものであろう．果たしてそうだろうか．

田辺[1)]によると健常対照群との比較では，ギャンブル依存症の自殺念慮の生涯経験率は62.1%で対照群の4.3倍，１年以内の経験率は26.7%で対照群の約10倍であり，自殺企図については生涯経験率は40.5%で対照群の22.5倍，１年経験率は12.2%で対照群は0%となっている．

これらのデータを総合して考えると，ギャンブル依存症という疾患は軽度から重度まで幅広い分布を持ち，重度になると自殺企図にまで至る，極めて深刻な疾患であり，決して楽観視できる疾患とは言えない．

2　ギャンブル依存症の症状と進行

ギャンブル依存症の基本的特徴は，借金と嘘によって本人，家族，職場を破壊することである．ギャンブルで失った金を深追いする傾向が強まり，損害を取り戻すためにギャンブルを続けたいという非合理的思考と欲求の肥大化が生じる．のめりこみを隠すために嘘・ごまかしが増え，ギャンブル資金を得るために窃盗，詐欺，偽造，横領などの犯罪行為にまで及びうる．症状は概ね次のように進行する，『お金をやりくりしながらギャンブルを楽しむ段階』⇒『ギャンブルに魅了され仕事化する段階』⇒『ギャンブルの動機づけが強化される段階』⇒『ギャンブルを自分でコントロールできる幻想を持つ段階』⇒『借金を繰り返す段階』⇒『追い込まれてやっと治療が始まる段階』．

借金や家庭内窃盗（家族の金を盗む，嘘をついて金を得るなど）が始まった段階からギャンブルの質が大きく変化する．楽しみの要素が強いギャンブルから，借金を返済するための手段に変化すると，「勝たねばならない」「勝って借金を返済せねばならない」という切実感，切迫感，強迫感を伴うようになり，一転して「苦しいギャンブル」となる．それでも止められないのは，依存症の進行とともに健全な援助希求能力を失うためでもある．

依存症の進行とともに思考の歪みが出現する．代表的なものを列記する．「ギャンブルはお金を稼ぐ手っ取り早い方法である」「ギャンブルは健全なレクリエーションである」「自分のギャンブルはコントロールできている」「やめる必要はない，控えればいい」「負けは勝って取り戻せる」「自分の問題はお金の問題（借金）だけだ」「ギャンブルだけで借金しているわけではない」「どうせあとで返せる，なんとかなるだろう」「多額のお金を賭けるほど，勝つチャンスも大きくなる」「事態が悪化すれば誰かが尻ぬぐいをしてくれる」「借金を返すためにギャンブルをしているのであって，借金がなければする必要がない，だから自分は依存症ではない」.

3 ギャンブル依存症の治療と回復

依存行動を修正するためにはその行動のメカニズムを理解しなければならない．筆者は依存行動の３層構造仮説を考えた．依存行動をしていない状態を「単に止まっているだけ」と見るか,「回復が進んだ結果」と見るかというのは判断が難しい問題であるが，この仮説を使うとわかりやすい.

依存行動の第１層には何百何千何万回と繰り返すことによって出来上がった習慣と条件反射の層がある．一度獲得するとその神経回路は完全には消えないものの，使わなければ劣化していく．廃用性筋萎縮と同じようなメカニズムがはたらくのではないかと考える．第２層は依存行動がストレス対処の手段となり，次第にそれが唯一の対処行動になっていく層である．嫌な気分を回避，軽減するための手段となり，依存行動が生活全般に影響していく.第3層はその行動自体が目的となる段階である.各層にはそれぞれに見合った報酬効果がある．第１層はギャンブルして楽しい，勝って儲かる，興奮するという報酬効果であるが，報酬の大きさは第２層，第３層に比べれば弱い.

飲酒欲求の４大引き金としてよく知られているのがHALT（Hungry

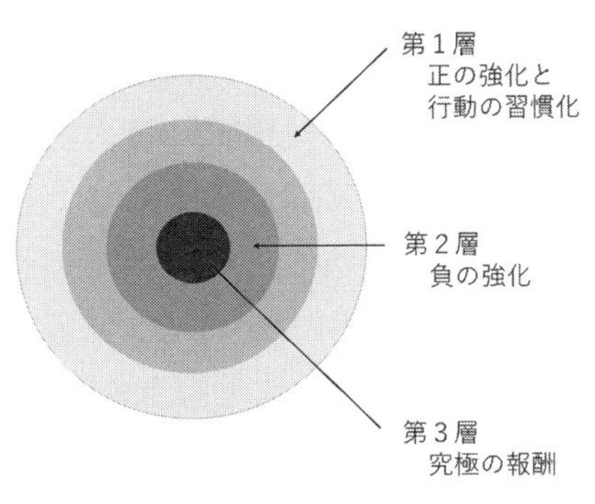

図２　依存行動の３層構造仮説

空腹，Angry 怒り，Loneliness 寂しさ・孤独，Tired 疲れ・暇）である．飲酒に限らずすべての依存行動に共通の引き金となる．空腹はお腹がすいているという物理的な面から，満たされない気持ち（究極は精神的な飢餓感）まで幅広くとらえたほうがよいだろう．これらが欲求を刺激するという面と，これらの感情や状態が苦痛であり，その苦痛を軽減するために依存行動を使うという面がある．後者のことは「負の強化」と呼ばれる．依存行動から離れられなくなるのは，その行動から得られる直接的な報酬効果（正の強化）よりも，むしろ負の強化のためである．これらの感情・状態と依存行動が直結するようになり，その連結が強固なものになればなるほど，他の健康的な対処行動が消えていき，最後には依存行動しかその人の対処行動が残らなくなる．

ギャンブル依存症の場合，借金を返すためには仕方ないと自己正当化しつつ，かつては強烈な高揚感や興奮を与えてくれた大勝ちもさほどの喜びを与えてくれなくなっていく．それでもギャンブルを手放すことができず，一体何のためにギャンブルを続けているのか自分でもよくわからないという不合理の極みに陥ってしまう．こう見てくると，「依存行動は自分の健康も害し，周囲にも迷惑をかけるのだから止めて当然だ」というアプローチがいかに効果薄であるかがわかる．単に問題を指摘したり，処罰や圧力をかけてその行動を変えることができるという考えでは対処は困難である．これが第２層である．

アブラハム・マズローは人間の根源的欲求を①生理的欲求②安全の欲求③愛と所属の欲求④承認欲求⑤自己実現の欲求と考え（“A Theory of Human Motivation”，1943），「人間は自己実現に向かって絶えず成長する生き物である」と提唱した．依存行動の究極の報酬とはこれら５つの欲求がすべて満たされる（と感じる）ことであり，依存行動によって得られる最も根源的な報酬の層があると筆者は考える．「それをやっているとすべてを忘れられる」「他に何も要らない」「決して裏切らない」「その世界に入るとなにもかも満たされる」「なりたい自分になれる」などと患者が表現するものがこれではないか，つまりマズローの③④⑤の欲求が満たされる次元, これが第3層の報酬である．他の全てをなげうってもこれを求める．それが依存行動の最も根源的なエネルギーであり，簡単に手放せないものとなる．

依存行動の目的が最初は単に習慣だったものが次第にその人にとってかけがえのないものに変化していく第1層から第3層に向かって進むタイプと．元々心の空虚さや生きづらさを持つ者がギャンブルに出会ったときに第3層の報酬までも与えてくれるといった強烈な体験をし，抜け出せなくなってしまうタイプがある．ギャンブル依存症はこの2つのタイプを両極にして，その間に幅広い臨床像を示す疾患ではないかと考える．

同様に,「回復にも段階や深さがある」と考える．過去の習慣を止め新しい習慣に変える段階，その行動で対処していた問題や事柄を他のより健康的な方法で対処する力を獲得する段階，そして，その人の考え方や価値観・生き方を変える段階があるという視点で回復過程を考える．まずギャンブル行動を止めるということから始める．持続してきた習慣行動を停止させるには大きなエネルギーを要すると認識し，ギャンブルできない環境を徹底して整備することが必要である．具体的にはギャンブル資金を持たない，手に入れる可能性をゼロにすることを主眼にした金銭管理が不可欠である[2)]．そのうえで，通院，グループセラピー，GAへの参加などの治療的行動を続けることが大事であるという考え方を持ち，実行することである．これを続けながら，第2層の回復段階の課題に着手し，ストレスへの健全な対処スキルを身につける努力を続ける．依存症についての理解を深めることも必須である．第3層の回復は最も根源的な部分で，なぜ自分がギャンブルに依存するのかについての洞察が不可欠となる．これまで振り返ることのなかった自分の考え方や価値観を再点検する．GAの12ステップはこの層の回復に大いに役立つ．マズローの言い方を借りれば，依存症からの回復は，自己実現に向かって絶えず成長する過程である．

ギャンブル依存症の治療に当たり留意すべきことがある．新アルコール・薬物使用障害の診断治療ガイドライン[3)]に依存症患者への望ましい対応が提案されている．それは「患者一人一人に敬意をもって接する」「患者と対等の立場にあることを常に自覚する」「患者の自尊感情を傷つけない」「患者を選ばない」「患者をコントロールしようとしない」「患者にルールを守らせることにとらわれすぎない」「患者との1対1の信頼関係づくりを大切にする」「患者に過大な期待をせず，長い目で回復を見守る」「患者に明るく安心できる場を提供する」「患者の自立を促すかかわりを心がける」である．これら10項目はギャンブル依存症患者に対しても同様である．また，この問題に苦慮する家族へのサポートも不可欠である．

おわりに

ギャンブル依存症は軽度から重度まで幅広い臨床像を持つ疾患であり，症状の深刻度もさまざまである．その回復には重症度によっては考え方や価値観を大きく転換する必要があり，生涯にわたる回復過程を必要とする場合もある．ギャンブルがもたらす有害性を決して過小評価することなく，対処していく必要がある．

注および引用文献

1）田辺等：「ギャンブル依存症（病的賭博）と自殺」精神科治療学 25（2），（2010）．
2）吉田精次：『家族・援助者のためのギャンブル問題解決の処方箋―CRAFTを使った効果的な援助法』（金剛出版，2016）．
3）樋口進監修：『新アルコール・薬物使用障害の診断治療ガイドライン』（新興医学出版社，2018）．

大阪府市 IR 推進局のギャンブルリーフレット

井上善雄

はじめに

2009 年，橋下大阪府知事（当時）が大阪へのカジノ IR（Integrated Resort）誘致を言い出した．これには市民の根強い反対があり今日に至っている．政府与党は，2015 年に「特定複合観光施設区域の整備の推進に関する法律」（IR 推進法），2018 年に「特定複合観光施設区域整備法」（IR 実施法）を強行可決し，2019 年 7 月現在，政府は日本の 3 ヵ所という特定地区と IR カジノの実施に向けた規則決定へと準備を進めている．

2017 年，大阪では松井大阪府知事（当時），吉村大阪市長（当時）が，カジノ IR を実現しようと府市 IR 推進局（以下，推進局）を設置した．IR は MICE（Meeting, Incentive Tour, Convention/Conference, Exhibition/Event）施設やエンターテイメント施設などを含むものというが，実質は海外カジノ業者らに夢洲地区を提供し，IR 業者は全収入の 7 ～ 8 割をカジノに依拠する．これを統合型リゾート（IR）と美名を冠せているものである．

1　IR 推進局のリーフレット

カジノは，ギャンブル依存や資金洗浄，犯罪などの様々な負の問題が発生することが危惧される．このため 2018 年パチンコを含めた「ギャンブル等依存症対策基本法」が成立し，教育，厚生の点からも対応が必要となっている．

推進局は専らカジノ IR を推進している立場で，2018 年 12 月に府下高校生と支援学校生向けに「将来，ギャンブルにのめり込まないため」のカラーリーフレットを 10 万部以上印刷し配布させた（31 頁資料参照）．

推進局は，文字どおり IR の推進局である．従って，高校生や支援学校生向けの教育を目的とする適格当局ではない.

2　リーフレットの内容の不実，不当性

(1) ギャンブルそのものの記載の誤り

リーフレットは，一般的に「ギャンブルとは物やお金を賭ける行為です」とし，「日本では競馬・競艇等の公営競技や遊技であるパチンコ等がこれにあたります」と説明する．しかし，ギャンブルとは賭博のことであり，刑法第185～187条で禁じられている．このことを正しく伝え，教育しないことはミスリーディングどころか悪質である.

公営ギャンブルは，戦後の戦災復興等の一時的な経済事情の下で一時的な地方財政の収益事業として生まれ，刑法の賭博禁止の基本を変えるものではない.

このように，特別法のギャンブルと横行する脱法ギャンブルをギャンブルの評価モデルとする過ちを犯している.

(2) ギャンブル説明の過ち

リーフレットには，「ギャンブルでは勝ち続けることもあれば，負けることもあります．ギャンブルでの「勝ち」は法則性がなく，偶然によるもので予想できません」とある.

しかしギャンブルで客は，主催者や店に対し，時に「勝つことはあっても」，「負け続ける」ことが多々というのが常態である.

例えば宝くじでは，全体の券購入者への払戻額は，券購入者の全購入額の半分以下の約45%であり，常に当たりくじよりハズレくじが圧倒し，殆どの客の「負け」が確定している．これはスポーツくじでも同様である．さらに公営競技は，馬券，車券等の投票額の約25%を主催者・地方自治体が控除した残りの約75%を，少数の当たり券購入者が分け合うというもので，常に負け客が多く金額的にも圧倒するものである.

このように，リーフレットがいう「公認」ギャンブルでも，全て負け客が圧倒するものであり，ギャンブルは公認であろうがヤミの違法ギャンブルであろうが，客から収奪するシステムなのである.

また「ギャンブルとの付き合い方」では「ギャンブルは生活に問題が生

じないよう金額と時間の限度を決めて，その範囲内で楽しむ娯楽です」と教えており，ギャンブルをしていない者に，肯定的な娯楽の評価を与えるものとなっている．

リーフリットは未成年である高校生と支援学校生に配布するもので，ギャンブルとの接触を防がなければならない対象者らに，ギャンブルは娯楽であり，生活に問題が生じないのであれば金額と時間を決めてやればよいと勧奨するに等しい記載は許されない．

ギャンブルは大人の健全な判断の下での娯楽との評価は必ずしも誤りではない，と強弁する者もいる．しかしギャンブルが依存症，脱税・資金洗浄等の犯罪の動機になる等の社会問題を多く招いていることは歴然としており，娯楽の一つとしてギャンブルを評価し，教えることは誤りである．

そのほか「依存症ってなんですか？」との質疑でも，「勝ちを追い求めて最後には掛け金を失います．また他のことがおろそかになります」，悪影響の例として「睡眠や食事がおろそかになり，健康を害する」という程度で，盗みなどの犯罪を犯す等の重度な例の記載はなく，軽度な例しかあげていない．

ギャンブルの依存症とのめり込みから生じる問題は，個人としては多重債務，うつ病の併発，自殺，家庭崩壊から犯罪まである．

自治体は公営ギャンブルに伴う収益者として，弊害に対して自ら加害者となる主催者であるため，個人と社会被害の調査と解決と努力を怠っている．

リーフレットには「こころの電話相談」「こころの悩み電話相談」の連絡先も書かれているが，まず高校生と支援学校生らをギャンブルに近づけることを絶対に抑制し，禁止すべきである．リーフレットがギャンブルを娯楽と肯定し，依存症が発生した時の相談先を記載するのは，世にいう毒を売って薬を買わせる「マッチ・ポンプ」と言わねばならない．

3　大阪府・市教育委員会の破廉恥な協力

依存症等の予防は，教育部局と保健衛生部局が慎重に検討して行なうべきものであり，教育見地，消費者保護見地からいえば，カジノに行かないようにしましょうと青少年に教育するべきである．ところがリーフレットは，高校生や支援学校生らに誤解を与え，ギャンブルとその弊害を正しく理解させない．

支援学校向けリーフレットには，漢字の読解力が不足すると判断しているのか全漢字にルビを付している．しかし，府下の視力障がい支援学校 2 校，聴覚障がい支援学校 4 校，肢体不自由と知肢併置，病弱併置，知的障がい部門併置の支援学校 13 校，さらに知的障がい支援学校 25 校，病弱障がい支援学校 2 校において，どのような教育計画を立てさせるのかの説明が全くない．

リーフレットは，カジノ推進局として，むしろギャンブルも宣伝・推進したいという事実を示しているのである．

資料：大阪府・大阪市ギャンブル等依存予防リーフレット「将来、ギャンブルにのめり込まないために」（支援学校用）

大阪府　大阪市

将来、ギャンブルにのめり込まないために

ギャンブルってなに？

一般的にギャンブルとは、物やお金などを賭ける行為です。日本では、競馬・競艇等の公営競技や遊技であるパチンコなどがこれにあたります。

ギャンブルでは勝ち続けることもあれば、負けることもあります。ギャンブルでの「勝ち」は偶然によるので予測できません。

短期間なら勝つこともありますが、長く続ければ、使ったお金と同等額が手元に残ることはありません。

ギャンブルとの付き合い方

ギャンブルは、生活に問題が生じないよう金額と時間の限度を決めて、その範囲内で楽しむ娯楽です。

ギャンブル等依存症にならないために

Q1：依存症ってなんですか？

特定の物質（アルコールや薬物など）や行為を「やめたくても、やめられない」状態を「依存症」といい、本人や家族が苦痛を感じたり、生活に困りごとが生じたりすることがあります。依存する対象のひとつに、ギャンブルがあります。

Q2：原因はなんですか？

原因は、まだはっきりとしたことはわかっていません。不安や緊張を和らげたり嫌なことを忘れたりするために、ギャンブルを繰り返すうちに、脳の回路が変化して、自分の意志でコントロールすることがとても難しくなってしまうという説もあります。

Q3：ギャンブルにのめり込むとどんな問題が起こるの？

ギャンブルにのめり込み、勝ちを追い求めて、最後には掛け金を失います。また、他のことがおろそかになります。

～悪影響の例～

・睡眠や食事がおろそかになり健康を害する、嘘をついて家族との関係が悪化する、隠れて借金する

Q4：なりやすい人はいるのですか？

誰でもなる可能性があります。「根性がない」とか「意志が弱い」からではありません。

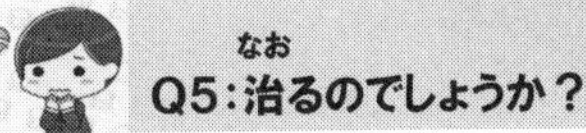

Q5：治るのでしょうか？

風邪やケガのような治り方をするものではありませんが、様々な助けや理解により「ギャンブルなどに頼らない生き方」をしていくことができます。回復することは可能です。

ギャンブルにのめり込まないためには、正直に自分の気持ちを言える場所があることや孤立しないことが大切です。

もっと詳しく知りたい人のために

厚生労働省　依存症

久里浜医療センター
ギャンブル依存症　はじめに

信頼できる公的な相談窓口

●こころの電話相談（大阪市・堺市以外にお住まいの方）
TEL：06-6607-8814 FAX：06-6691-2814
月曜日～金曜日（祝日、年末年始除く）9:30～17:00

●こころの悩み電話相談（大阪市にお住まいの方）
TEL：06-6923-0936 FAX：06-6922-8526
月曜日～金曜日（祝日、年末年始除く）9:30～17:00

●こころの電話相談（堺市にお住まいの方）
TEL：072-243-5500 FAX：072-241-0005
月曜日～金曜日（祝日、年末年始除く）
9:00～12:30・13:30～17:00

高校生は、競馬・競艇等やパチンコをすることができません
競馬・競艇等　…　20歳未満禁止　　パチンコ　…　18歳未満禁止

大阪府・大阪市ＩＲ推進局　電話番号06-6210-9236
FAX　06-6210-9238
URL：http://www.pref.osaka.lg.jp/bu_irsuishin/

このリーフレットは2,670部印刷し、1部あたりの単価は30円です。 2018.12

和歌山でのカジノ誘致反対運動

畑中正好

1　はじめに

この5月14日，大俳優のジャン・レノを広告塔にフランスの大手カジノ企業バリエールが，和歌山に事務所を開設するという表明を受けて，和歌山にカジノができるかも知れないという空気が一気に高まったようだ．

それまでのカジノをめぐる和歌山の空気は，誘致合戦において大阪に勝てることはなく，カジノはできないというムードが漂っていて，カジノ誘致反対運動も盛り上がりを欠く面があったことは否めない．

そうした中，反対運動が活発な「カジノ問題を考える大阪ネットワーク」の方々に教えを乞いながら，和歌山において地道に，反対運動をすすめてきた．その一端を記す．

2　「和歌山ネットワーク」の立ち上げ

一貫した「カジノ誘致論者」だと早くから自認していた仁坂吉伸・和歌山県知事．にもかかわらず和歌山のカジノ反対運動の動きは，カジノを含むIR推進法が成立してから後のことになる．

その成立から3ヵ月後の2017年2月中旬，クレジット・サラ金被害をなくす会「あざみの会」が和歌山市に誘致断念を求める要請を行い，和歌山クレサラ・生活再建問題対策協議会が県に誘致に反対する声明を発表し提出した．その動きの中で，反対運動をすすめる会立ち上げの準備に火がともったといえる．

一方，和歌山市は，その動きを尻目に，前述の要請した翌日に誘致を正式表明した．これにより和歌山県・市一体となってカジノを呼び込む体制が整うことに．そして，和歌山県・市は，5月に，候補地を「和歌山マリーナシティ」に一本化すると表明した.

そうした推進の動きを背に，7月中旬に私達の準備会で,「カジノ解禁推進法の問題点」と題する吉田哲也弁護士の講演を中心とした市民集会を開催.続いて，11月末に，井上善雄弁護士を講師に「ギャンブルによる消費者被害とカジノ」と題する講演と創立総会を行い，反対運動のバージョンアップを図った.

3 「外国人専用カジノ」主張の幻想

この5月16日の記者会見で尾花正啓・和歌山市長が「市民の間に依存症への不安が根強い．カジノは，外国人専用にするのが最良だという考えは変わっていない」と，従来の考え方を維持する発言を行った.

誘致に県市で共同歩調をとった当初は，県市とも「外国人専用カジノ」を主張し，これも共同歩調をとっていた.

しかし，仁坂知事が昨年5月に発表した「和歌山県IR基本構想」は，日本人の入場を認める内容でまとめており，その席上，日本人のカジノへの立ち入り禁止を撤回した.

この撤回にあまり驚きはなかった．それは，外国人専用カジノ主張では，進出カジノ企業に相手にされず，本気で誘致をすすめるならば，いずれ撤回するであろうと踏んでいたからに他ならない.

とはいえ，一般市民に与えた悪影響は計り知れない．それは，外国人専用カジノ主張に幻想をもった市民が少なからずあったとみられ，反対を分断しその気運をそぐことに結果として働いたからである．むしろ，仁坂知事の1年後の早々の撤回からすれば，それを意図して外国人専用主張を展開した節がないとはいえない.

和歌山市長の発言が，外国人専用が受け入れられなければ，カジノ誘致に反対するとまで言うならば，男前であり重みがあろう．しかし，従来の考え方を維持した発言のみでは，非現実的な主張であり，幻想を振りまいているに過ぎない．これに惑わされないよう説いて行かねばなるまい.

4 いわゆる「のり弁」にした真の意図

日本人入場を前提とした「和歌山県IR基本構想」は，カジノ売上高を1401億円と想定し，経済波及効果が約3000億円，雇用効果が約2万人とする誇大なバラ色の各数値を公表しているものの，それに至る試算の根拠や内容をひた隠しにしている．ひた隠しにする理由として，概略，県IR基本構想が有限責任監査法人トーマツとの間のアドバイザリー業務委託契約に基づいて策定されたものであるので，その業者の独自のノウハウや知見が含まれているからだとしている．

この点，私達が行った2017年9月締結の前述の業務委託契約による中間報告や打合せ議事録等の情報公開請求が，一部と全部を非開示とするいわゆる「のり弁」にされた．それに対する不服申立となる審査請求を行って開示を求めているが，未だ，審査中（本稿執筆時点）にある．

翻って，何故，その情報を隠すのだろうか．誇大な数値の試算方法や内容を隠すことに意味があるとは最近，思えないようになった．隠す意味があるとすれば，外国人専用主張の撤回を模索する姿が浮き彫りになることにあったのではなかろうか．多分，撤回するための合理的な理由づくりのことが随所に出てくるに違いない．外国人専用主張をして数ヵ月後に，それを撤回するための方策のアドバイスを受けていたならば，とんでもないことであろう．この点の批判をしてこなかったことが今悔やまれる．

5　出口調査「カジノ反対」58%

昨年の11月に行われた和歌山県知事選挙に私が立候補することになり，カジノ反対を主たる争点に掲げて闘った．現職との対決選挙は前回に続き2回目．負けはしたものの前回と比べて，現職が1万9790票減らし得票率もすべての市町村で下げる一方，私は6900票増やしすべての市町村で得票率を伸ばした．何よりも，NHKの出口調査が「カジノ反対」が58%あったとし，県民の反対が過半数を超えていたことに反対運動への確信を得るものとなった．

しかし，これを議会で追及された仁坂知事は，「誘致をやめ投資機会を逃せば経済発展のチャンスが失われる」としてあくまでもカジノ誘致に固執している．

6 最後に

最近，海南市で反対運動の組織づくりの気運が目に見えてきた．

カジノを造ろうとしている和歌山マリーナシティは，和歌山市に位置するが，そのアクセスとしての高速道路の出口は，海南インターが一番近く，鉄道もJR海南駅が一番近い．なので，JR海南駅に通じる道路周辺が，「質屋」や「風俗店」が林立する姿に変貌するなど，海南地方がもっとも悪影響を受けることになろう．その海南で反対運動の気運が目に見えてきたことはとても喜ばしく思う．

若者の将来不安を ギャンブルに引き込むカジノ

香山リカ

メンタル疾患としての「ギャンブル依存症」については、専門家の吉田精次医師が詳述している。それによると、最初は「楽しみの要素が強いギャンブル」がすぐに「借金を返済するための手段」と化し、切実感、切迫感、強迫感を伴う「苦しいギャンブル」となっても、その段階では思考の歪みが出現しているのでもはや手放せなくなっているという。

そうするともし、将来的に日本にカジノができたとして、そこからギャンブル依存症へと陥るのはまず「楽しみとしてのギャンブル」に手を出す人なのであろうか。そこには、海外のカジノでギャンブルの経験がある人や国内でも競馬、パチンコなど日ごろからギャンブル的要素の強い娯楽に親しんでいる人が含まれそうだ。

もちろん、最もカジノに近いのはその層であろうが、実は日本ならではの事情により、別の層がカジノからギャンブル依存症になる可能性も懸念される。それは、「若年層」である。

2019年7月2日のNHK「クローズアップ現代」では、「“老後2000万円”将来不安につけ込まれるな！ 現役世代に落とし穴も…」というタイトルで、投資詐欺の犠牲になった人たちの増加について取り上げていた。その直前、金融庁が「老後30年間で年金以外におよそ2000万円が必要」とした報告書を公表し（現在は削除）、大きな話題となった。とくに現役世代には「老後に備え少しでも収入を増やして貯蓄しなくては」と投資や副業に目を向けた人も少なくなかった。番組は、そうやって不安が煽られている人につけ込む、詐欺まがいの投資や金融商品が増加しているとして、実例を紹介していた。

そのひとりは20代の男性だった。男性は友人を介して「投資に詳しい業者」を紹介され、「バイナリーオプション」と呼ばれる金融取引を勧められた。「バイナリーオプション」とは、外国為替の相場が現在より高くなるか低くなるかを二者択一で予想する金融取引で、あまり知識がなくても「白か黒か」という感じで選択ができ、結果も数分単位でわかるという、ゲーム性の強い取引だ。たとえば「10分後のドルとユーロの為替相場はユーロが高くなる」と予想してそれが当たれば元手はが増えるが、外れれば全額を失う。しかし、ある程度、"前借り"して投資できるため、元手がゼロになってもさらに続け、短時間で大きな借金につながるリスクもある。

番組に登場した男性は、業者に「これに入っているシステム通りにやれば毎月20万円の儲けは堅い」と言われて53万円もするUSBを買ってしまったのだという。もちろんそのUSBに入ってるプログラムに従って投資してみたが、まったく儲からない。業者に苦情を伝えると、「ではこのUSBを買ってくれそうな友人を紹介してくれたら6万円出す」と言われたので、そうしたのだという。

バイナリーオプションじたいギャンブル要素の強い金融取引だが、そこにつけ込んで高額の詐欺商材を買わせる業者がいて、さらにそこからいわゆる「マルチ商法」に発展していく。男性は二重、三重の被害にあいながらも、「元を取り戻さなくては」ということで投資からもマルチ商法からも抜けられなくなっていったようだ。

実は、私の大学の学生やその友人の中にも、似たような勧誘を受けた人がいることがわかっている。そして、彼らはただ将来の不安を煽られるだけではなくて、必ず次のような文句で誘われているのが特徴だ。

「金融投資を始めると世界の経済がわかりますよ。グローバル時代に外国為替も知らないなんて遅れてますよね」「会社員として働いたってたかが知れてますよ。それより賢く投資して儲けて、楽しい人生を送りたいですよね」「○○さん、××さんみたいな起業家、IT経営者、みんな投資やってますよ。先を見る目がある人ならやりますよね」。

つまり、グローバル化する世界に乗り遅れず、そこでの成功者になって夢をかなえるためにも、この金融投資や必勝システムの入った商材が欠かせない、と言っているのだ。若者を対象とする場合は、ただの「大儲けのチャンス」ではなくて、「特別な自分になる」「夢をかなえる」といった自己愛的な自己実現欲求を刺激する必要があることを、詐欺的な勧誘をする業者は知っているのである。

先にもこうした業者が「成功者」のモデルとして起業家やIT経営者をあげると言ったが、考えてみると彼らのビジネスじたいがギャンブル的だと言わざるをえない。投資家から投資を受けて誰もやったことのない事業をスタートアップさせ、莫大な利益につながることもあるが、鳴かず飛ばずで終わり借金の返済に苦労することもある。またビジネスが一定規模になれば、今度は自分が若手に投資する側に回り、そこから回収したお金でさらに資産を増やすようになるだろう。

今やそういう方向でキャリアを形成するのが最もクレバーと考えられているようで、難関国立大学の医学部に入った学生のうち何割かは、卒業後、臨床医にならずに外資系のコンサルタント会社に就職して投資について学ぶという。彼らはそこで医療系ビジネスに適切に投資する目を養い、将来的には医療の発展に大きく寄与できるはずと主張するのだが、実際には現場で臨床を行う医師が減り、多くが医療投資家になってしまうのは大きな痛手だ。しかし、教鞭を取っている大学で学生たちに尋ねると、そうやって医療界全体を見わたせるエキスパートが増え、その結果として彼らが富を得るのは良いことである、という肯定的な評価の声が高い。

ここまでで私が主張したいのは、とくに若い世代では、将来の生活不安に加えて、ギャンブル的な要素の強い方法でキャリアや資産を形成したりすることへの抵抗が薄れている、というよりは、むしろ自己実現の手段としてそれを積極的に求める動きが強まっている、ということだ。

実は、そういう若い世代はカジノへの抵抗もないように思う。学生たちにギャンブル依存症の話をするときに、84億円を失った話が記されている『熔ける 大王製紙前会長 井川意高の懺悔録』（幻冬舎文庫）の内容を紹介するのだが、井川氏がその後、堀江貴文氏と対談本を出したり現在はテレビでも活躍していたりすることもあって、学生はその生き方に決して批判的ではない。これには実証的な裏付けがあるわけではないが、「本人が納得しているならそれでもよいのではないか」「それくらい大胆な人だから事業も人生も思いきり展開しているのだと思う」など、ある意味でヒーローとして井川氏をとらえているようなコメントさえあるのだ。

たしかに現在、日本だけではなく世界的に経済は衰退基調に入っており、気候変動、紛争危機、民主主義の崩壊、さらには「AIに仕事を奪われる」といった不安も高まる中、学生を中心とした若者は「はたして大企業や役所に勤めて地道に働ければ幸せになれるのか」と疑問に感じ、未来に希望が持てなくても無理はないかもしれない。そういう中でもなんとか自分らしく生きたいと思えば、「多少のリスクはあっても一攫千金を狙うしかない」という方向に走る者も当然いるだろう。彼らにとっては「カジノ」もそのひとつの要素でしかなく、「それが地域経済を活発化し、もしかしたら自分もそこで大金を一瞬にして手にできるのなら、その何が悪いというのだろう」と思っている学生なども少なくない。実際のところ、たいへん衝撃的な話だが、ここ数年、ギャンブル依存症の問題を取り上げ、日本のカジノ誘致についての是非を大学1年生にきいているのだが、反対はどのクラスでも1割未満なのだ。

彼らには、「カジノは危険だ」といくら言ってもその考えを変えることはないだろう。「危険なのはわかっている。でも、だからといってほかに何があるのか？」ということだ。

カジノ誘致はもう間近に迫った問題であり、それに対しては私たちは実際に起きているギャンブル依存症や地域の治安悪化などの例を出して反対していかなければならない。しかし、よし本質的には、若い世代に対して「カジノに頼らなくても、あなたらしく生きることはできる。一攫千金とは別の方法で、夢をかなえることもできる」という社会を一刻も早く作り上げることが、私たちおとなには求められているのではないか。

若者がバイナリーオプションというリスクの高い金融取引やそれに関連した詐欺に半ばウソかもとわかりながら手を染めざるをえないように、「カジノは良くない。でもそれしかないんだ」と駆け込まなければならない事態だけは避けなければならない。そのためには、カジノの入り口をただ閉鎖するのではなくて、「そこに行かなくてもこちらに来れば、安全に確実にあなたの夢を実現できる」という別の入り口を用意する必要がある、ということだ。

《著者紹介》（追補）

新川 眞一（にいがわ しんいち）
大阪クレジットサラ金被害をなくす会事務局次長，司法書士

井上 善雄（いのうえ よしお）
ギャンブルオンブズマン

畑中 正好（はたなか まさよし）
カジノ問題を考える和歌山ネットワーク事務局長

《著者紹介》

鳥畑 与一（とりはた よいち）
1958年生まれ．大阪市立大学大学院経営学研究科修了．所属：静岡大学社会科学部．専門：金融論．著書：『カジノ幻想』（ベスト新書，2015），『略奪的金融の暴走』（学習の友社，2009）ほか．

桜田 照雄（さくらだ てるお）
1958年生まれ．京都大学大学院経済学研究科修了．博士（経済学）．所属：阪南大学流通学部．専門：会計学．著書：『取り戻した9億円』（文理閣，2013）ほか．

滝口 直子（たきぐち なおこ）
カリフォルニア大学（UCLA）大学院民俗・神話学際プログラム修了．Ph.D. 所属：大谷大学社会学部．専門：社会学．「借金を返済できなくても　嘘をついてでも　あと一回ギャンブルをしたいあなたへ」（社会的包摂サポートセンター，2018）ほか．

吉田 精次（よしだ せいじ）
1955年生まれ．徳島大学医学部医学科卒業．所属：藍里病院依存症研究所所長．専門：依存症．著書：『ギャンブル問題解決の処方箋—CRAFTを使った効果的な援助法』（金剛出版，2016）．

香山 リカ（かやま りか）
精神科医・立教大学現代心理学部教授．1960年北海道生まれ．東京医科大学卒業．豊富な臨床経験を生かして，現代人の心の問題を中心に，さまざまなメディアで発信を続けている．専門は，精神病理学．

カジノ<ruby>誘致</ruby>の<ruby>諸問題</ruby>

2020年　1月29日　初版　第1刷　発行

著　者　鳥畑 与一・桜田 照雄・滝口 直子・吉田 精次・香山 リカ
監　修　日本科学者会議（JSA）
発行者　新船 海三郎
発行所　株式会社 本の泉社
〒113-0033　東京都文京区本郷2-25-6
TEL：03-5800-8494　FAX：03-5800-5353
http://www.honnoizumi.co.jp
DTP　株式会社本の泉社（杵鞭真一）
印刷　日本ハイコム株式会社
製本　村上製本所

ISBN978-4-7807-1958-1 C0036